W9-CEL-643

CARTAS PARA
CLAUDIA

CARTAS PARA CLAUDIA

JORGE BUCAY

DEL NUEVO EXTREMO  integral

Cartas para Claudia

Autor: Jorge Bucay
Diseño de cubierta: Opalworks
Fotografía de cubierta: Photonica
Compaginación: Marquès, S.L.

© del texto, 1987, Jorge Bucay
© de esta edición:
    2003, RBA Libros, S.A.
    Pérez Galdós, 36 – 08012 Barcelona
    www.rbalibros.com / rba-libros@rba.es
    1987, Magazines, S.A.
    Juncal 4651 (1425) Buenos Aires – Argentina

Primera edición: noviembre de 2003

Ref.: LR-52
ISBN: 84-7871-080-9
Depósito legal: B. 42.466 - 2003
Impreso por Novagràfik (Montcada i Reixac)

A mi hijo Demián

Yo hago lo mío y tú haces lo tuyo.
No estoy en este mundo para llenar tus expectativas,
y tú no estás en este mundo para llenar las mías.
Tú eres tú y yo soy yo.
Y, si por casualidad nos encontramos, es hermoso.
Si no, no puede remediarse.

FRITZ PERLS

AGRADECIMIENTOS

Este libro nunca hubiera llegado a tus manos sin la colaboración de todas, repito, de todas las persona que he conocido en mi vida. Cada una de ellas ha dejado cosas suyas en mí que de alguna manera aparecen en cada frase, en cada palabra, en cada letra de estas cartas.

Quiero dar las gracias especialmente:

a July
a Cecilia
a Cacho
a Lita
a Susana
a Diana
a Roxana
y a Perla.

Un punto y aparte en este agradecimiento lo reservo para mis pacientes, en última instancia los verdaderos autores de este libro.

Todo lo que sigue lo he aprendido de ellos, para ellos y por ellos...

Gracias.

Prólogo a la edición española

Editar *Cartas para Claudia* en España es un acontecimiento muy importante a mis afectos. Quizás comparable a la salida de *Déjame que te cuente*. Las razones sobran, pero basta con decir que este libro es el que abrió literalmente el camino a todos los demás. Yo nunca había pensado en escribir, y mucho menos en publicar un libro.

Como todos mis colegas de Argentina, me había formado como terapeuta en la escuela psicoanalítica y, para mi comprensión de entonces, no se suponía que el terapeuta pudiera intervenir demasiado en la sesión. Confieso que costaba permanecer en silencio frente al a veces tedioso ostracismo de mis pobres pacientes de entonces. A mí se me ocurrían tantas cosas y, seguramente (me avergüenza admitirlo públicamente), mi afán protagonista de aquellos tiempos no aceptaba del todo el papel supuestamente secundario que me asignaba la técnica ortodoxa.

Así que, muchas veces, mientras el paciente pensaba su siguiente frase y, otras, mientras las decía yo, escribía. Le escribía a él o a ella lo que me gustaría decirle y nunca le diría. Le explicaba en mis palabras lo que yo creía que le pasaba; le recitaba una poesía o, simplemente, compartía desde el papel mi propia experiencia con su problemática. Una tarde, vaya a saber por qué, al llegar Estela a mi consulta, decidí darle lo que había escrito pensando en sus cosas en la sesión anterior. El efecto me pareció sorprendente. No sólo leyó la carta en aquel mismo momento (pese a mi insistencia en que la reservara para cuando dejara mi consulta), sino que toda la sesión trabajó mucho y bien. Este episodio me animó a pensar que, aunque no fuera muy aceptable técnicamente hablando, para trabajar con los pacientes a los que tanto les costaba arrancar en sus sesiones quizás no fuera una mala idea acercarles de vez en cuando una carta con unas palabras escritas por mí para ellos.

Durante dos años desarrollé un modelo terapéutico propio y personal que fue incluyendo cartas a mis pacientes y, también, programadamente, cartas intercambiadas entre ellos y yo, y lecturas de viejas cartas que ellos traían para revisar en su sesión. La magia de las circunstancias terminó de actuar cuando, un año más tarde, una paciente decidió pasar a un compañero de grupo una carta que yo le había escrito un par de años antes. A cambio de esa generosa apertura él trajo para ella una copia de un cuento que yo le había entregado unas semanas antes. El grupo terapéutico, enterado de los efectos de las cartas, empezaron a intercambiar las que habían recibido de mí en sus sesiones privadas. Yo me opuse firmemente pero, para aquel entonces, mis pacientes ya habían aprendido que eran adultos y que nadie podía impedirles hacer nada que no fuera ilegal o inmoral y, por lo tanto, no me hicieron el mínimo caso.

En 1984, al llegar el fin de año terapéutico, el grupo me trajo como regalo un libro casero hecho de decenas de hojas abrochadas entre sí con una grapa. Eran las cartas que yo había escrito a cada uno de los miembros del grupo durante su paso por la terapia individual y que, para mi sorpresa, todos habían guardado.

—Jorge —me dijeron—. Nosotros creemos que esto debes publicarlo.

Yo contesté:

—Ustedes no saben lo que dicen. Yo ya les dije que estas cartas han sido escritas para cada uno de ustedes y tienen valor para cada uno. No pueden ser utilizadas para cualquiera que las lea. A nadie pueden interesarle, y menos si ni siquiera han sido pacientes míos.

—Pues esta vez te equivocas —insistieron—. Nosotros ya hemos distribuido copias de este texto a nuestros amigos y familiares y todos dijeron que les sirvió. Publícalo, Jorge. Hay muchas cosas que pueden servir a muchos.

Yo agradecí el esfuerzo y me comprometí a pensarlo.

Cuando llegué a mi casa leí el material que mis pacientes habían reunido. Recordé mi pasión por *El libro del Ello* de Georg Groddeck y encontré algún punto de contacto. Quizás si yo reuniera todas aquellas cartas y las dirigiera a una misma persona...

Dos semanas después, con mi nuevo original, que ya se llamaba *Cartas...*, me encontraba dejando una copia en manos de la secretaria del jefe de nuevas ediciones de una importante editorial de Buenos Aires.

A los cinco días, el Sr. Jefe me citó en persona. Yo estaba ansioso y excitado.

Me hicieron sentar en una salita de recepción durante cuarenta y cinco minutos y, después, el hombre apareció. Siempre recordaré sus palabras.

—Mirá pibe —me dijo (yo en aquel entonces tenía treinta y cuatro años)—. Hay dos cosas que en Argentina no se venden: la psicología y la poesía. Y, tu libro, lo que no tiene de psicológico lo tiene de poético. Si querés publicar probá con una novela o algo así.

Se sonrió sin ironías y, casi compasivo, me devolvió mis hojas.

Era lógico abandonar el proyecto y seguramente lo hubiera hecho de no ser por la mano cómplice de mi esposa Perla que, haciendo cuentas y averiguaciones, me hizo saber que si usábamos todos nuestros ahorros (que no eran demasiados) podíamos editar unos setecientos cincuenta ejemplares en la imprenta que estaba a dos calles de mi casa.

Y, obviamente, acepté.

Aquella primitiva primera edición, con una cubierta diseñada por mí mismo, impresa en dos colores (negro y rosa pálido espantoso) y en papel del más barato, fue depositada en el garaje de mi casa tres semanas después. Los primeros doscientos cincuenta ejemplares fueron de regalo para los pacientes que promovieron e impulsaron la idea, cincuenta para los familiares y amigos dispuestos a tomarse el trabajo de leerlos; y los quinientos restantes distribuidos por mí mismo, llevados bajo el brazo de a diez por vez y dejados en consigna en cada librería que conocía.

Lo demás, la aparición de Miguel Lambré, responsable de la Editorial del Nuevo Extremo, y la salida de los siguientes diez libros es otra historia.

Este prólogo es consecuencia de mi deseo de compartir contigo el por qué este libro es tan especial para mí. Es también una explicación de por qué no quise corregir demasiado de su contenido a pesar del tiempo transcurrido y a pesar de que existen algunas cosas con las que no estoy ya de acuerdo. Por último, este prólogo es una manera de rendir homenaje a mis pacientes de aquel entonces, de acercar mi reconocimiento a mi esposa Perla y dar las gracias a aquel jefe editorial que rechazó el original, sin cuya negativa la historia habría sido otra, quizás tan exitosa como la que fue pero, seguramente, no tan mágica.

JORGE M. BUCAY
Nerja, 15 de septiembre de 2003
Andalucía. España

Prólogo de la Dra. Zulema Leonor Saslavsky

No me resulta fácil escribir sobre este libro de Jorge Bucay. No soy crítica literaria, sino escritora, y me parece muy mediocre limitarme al tecnicismo literario y muy vanidoso de adelantarles mi opinión sobre la obra. Es mejor que lean lo que ha escrito Jorge. Sé que lo único valedero es expresar que, para mí, el libro de Jorge es Jorge. Elijo entonces escribir sobre lo que «es» y sobre lo que «sé».

Lo primero que me surge es una pregunta: ¿Conozco a Jorge?

—No, aunque sí conozco cosas de Jorge. ¿Puede alguien conocer a otro? No, ni siquiera es importante. Sólo puedo ir conociéndome a mí misma. Tampoco es importante. Es conveniente. Es. Y ahí entra Jorge.

Cuando Jorge, después de varias «vueltas», me dijo que quería aprender conmigo (hace de esto muchos años o, tal vez mejor, muchas vidas), sentí que lo veía en su futuro, o sea, en su hoy.

Y empezamos nuestro camino en el hospital. Lo extraño es que ni él ni yo teníamos mucho que ver con hospitales (o tal vez sí en aquel momento).

En el camino que recorrimos juntos, sé que me conocí más y mejor. Y así, conociéndome, surgió la magia de «saber» a Jorge. Conocerlo dejó entonces de tener validez.

Cada vez que nos encontramos (y digo en-con-tramos), es otro Jorge: uno que no conozco pero sí «sé».

No puedo limitar a Jorge: ni a su nombre ni a un cúmulo de palabras que, de todas maneras, no serían suficientes; porque las sensaciones y la sabiduría de algo, al menos yo, no las sé escribir. Tal vez lo único que sé es que escribir sobre Jorge está relacionado con el amor.

Juntos hemos recorrido los más insólitos caminos del amor o, mejor dicho, del AMOR. Desde las formas más perversas, hasta las más tiernas. Siempre creando. También nada.

Por momentos fuimos Jorge y July, y por momentos fuimos Jorge con July. Por momentos Jorgejuly y por momentos Jorge... July. Aún en nuestro silencio o en nuestras distancias, nos sabemos.

No quedó emoción, sensación o afecto que no hayamos vivido. Sólo los que conocen el amor sabrán de qué hablo, y aquellos que en su vida sólo llegaron a aprender algunas técnicas de coito, dejarán volar sus mundanas y mediocres fantasías gastando inútilmente tanta energía mental. Sin embargo, prefiero otorgarles el derecho a la duda.

Jorge fue para mí más que un hijo, porque además lo elegí. Y digo «fue» porque, ahora, ahora es independiente. Me hace feliz verlo andar por sí mismo pero, a la vez, me topo con el sentimiento opuesto y encontrado y simultáneo de la nostalgia que me provoca que el hijo no sea hijo. Creo que lo vivo más como mi trascendencia, en parte enriquecida por las contradicciones y el acuerdo de los desacuerdos entre él y yo.

Una vez más quiero pedir a Jorge que sepa disculpar que yo haya nacido antes que él. Jorge siempre se enfadó mucho por ello (y yo también) y, aunque hoy ya no tiene peso, siento que le sirvió.

Creo que nuestra historia compartida se apoyó más en lo

delirante de la locura creativa que en la mediocre lucidez de la cordura. Sin embargo, de ambas cosas (pues las tenemos) disfrutamos con intensidad.

No entiendo qué quiere decir «tener talento». Sé que Jorge lo tiene. Este libro es un desafío que —afortunadamente para nosotros— se permitió para testimoniar su propio crecimiento creativo, empezando por apoyarse en una imaginaria tercera persona, hasta llegar a comprometerse plena y profundamente (como se compromete Jorge) con su profundo «sí mismo».

Ahora sí, si me permiten, una sugerencia a los lectores: lean este libro al menos dos veces. La primera, como se lee todo libro, es decir, de principio a fin. Luego reléanlo deteniéndose en profundizar las ideas, sensaciones y conceptos que Jorge expresa a través de las palabras escritas. Sé que más que un libro de Jorge Bucay, este libro es un conjunto de mensajes para muchos; porque ésta es otra de las formas de comunicación que tiene Jorge. A él, como a mí, como a otros, no le alcanzan las formas comunes de expresión y entonces nos salimos de plano (como dicen los pintores) para encontrarnos en el andar de la vida haciendo caminos, infinitas formas de comunicar y dar lo que tenemos.

Así es Jorge.

Así es su libro...

DRA. ZULEMA LEONOR SASLAVSKY

INTRODUCCIÓN

En el año 1923, Georg Groddeck, antes de tener profundo contacto con la teoría freudiana, publicó *El libro del Ello*.*

El libro estaba escrito en forma de cartas que, supuestamente, un psicoterapeuta enviaba a una amiga. Este terapeuta imaginario se llamaba, en el libro de Groddeck, Patrick Troll.

Medio siglo después, casi accidentalmente, me topé yo mismo con Groddeck, con Troll y con *El libro del Ello*. He leído ese libro decenas de veces y siempre encuentro algo bueno, alguno nuevo, algo que me sirve; y siempre obtengo placer en releerlo.

Hace unos años, durante una de mis incursiones fascinantes en *El libro del Ello*, se me ocurrió fantasear...

¿Qué escribiría Groddeck en la década de los ochenta si planeara un nuevo libro? ¿Serían sus conceptos tan psicoanalíticos?

En mi fantasía contesté que *no*.

Y seguí...

Groddeck ha muerto y Patrick Troll murió con él.

¿Qué cartas escribiría hoy un descendiente de aquel imaginario Patrick Troll?

---

* Groddeck, Georg, *El libro del Ello*, Taurus, Madrid, 1981.

Mis ganas de encontrarme con ese libro crecían rápidamente.

Una noche de noviembre de 1982, me senté ante un cuaderno y, sin pensar demasiado —porque no lo hago muy bien—, me puse a escribir la primera carta de aquel libro fantaseado.

Podría repetir hoy los pensamientos de aquella noche: «Imagino que soy un descendiente de Georg Groddeck. (¿Acaso, de alguna manera, no lo soy?) O, mejor, un descendiente de Patrick Troll, aquel maravilloso terapeuta de *El libro del Ello*... Imagino que escribo a una antigua paciente, ahora una gran amiga... Ella se ha ido. Está lejos. Aún así, yo la recuerdo vívidamente... Se llama Claudia, como mi hija... Quizás más que eso... Quizás esta Claudia sea en realidad la Claudia que será mi hija dentro de pocos años... «Claudia: cierro los ojos y te veo...»

Cuando terminé de escribir aquella primera carta, encendí un cigarrillo y la leí tratando de olvidar que era mía. Hoy me pregunto si lo era.

CARTA 1

Claudia:

Cierro los ojos y te veo. Con tu misma mirada escrutadora, tu pícara sonrisa, tu rostro inteligente y hermoso.

¡Qué agradable recibir tu carta! ¿Cuánto hace que te fuiste del país? ¿Dos años, tres? A veces me parecen siglos y otras tengo la sensación de que fue ayer cuando te vi subir al avión rumbo a una nueva etapa de tu vida...

¿Te acuerdas? Aquel día, en nuestra despedida, te regalé *El libro del Ello*. En la primera página te escribí: «La salud consiste solamente en darse cuenta de que lo que es, es».

Y bien... Es cierto. Aquel Patrick Troll que firmaba las cartas del libro era mi bisabuelo paterno. Como de costumbre, tu capacidad asociativa y tu intuición funcionan a las mil maravillas. Siempre creí que ese «conocimiento» que tienes de las cosas es uno de tus más encantadores dones.

Mientras escribo esto, aparece ante mí la imagen de mi bisabuelo. Envidio su talento, su brillantez, su originalidad y, sobre todo, su capacidad creativa.

Es maravilloso leer sus cartas y darse cuenta de que todo aquello fue escrito prácticamente sin tener conocimientos de las teorías freudianas respecto de la estructura de la personalidad, el inconsciente o el psicoanálisis mismo.

Para su época, mi bisabuelo era un precursor, un *agente de cambio*. Sus apreciaciones —indudablemente psicoanalíticas, aunque él no lo supiese o se empeñara en negarlo— eran, en aquel momento, otro de los símbolos de la transición entre la era victoriana y el comienzo de la era industrial.

Lo revolucionario de la teoría psicoanalítica fue de tal magnitud que aún hoy en día muchos de mis colegas siguen creyendo válidas, a pie juntillas, aquellas apreciaciones básicas, y siguen considerando absolutamente intocables aquellos arcaicos conceptos terapéuticos.

¡Qué petulante! Me siento como si estuviera cometiendo una herejía.

Yo, con mis treinta y tres años, y dándome el lujo de criticar a «mis mayores»...

Bueno, ¿y por qué no? Después de todo, si este mismo razonamiento hubiera frenado a Freud, a Groddeck o a Troll, no hubiésemos tenido acceso a su sabiduría.

Vamos, ¡adelante! Que si bien es dudoso que haya en esto que digo alguna sabiduría, no es menos dudoso creer que yo sea capaz de frenarme para no cometer «herejías»...

Lo concreto es que, poco a poco, me he dado cuenta de lo *anticuado* de todo el funcionamiento de sus teorías. El psicoanálisis me parece un motor Ford 39 puesto a impulsar una carrocería 1984. Es cierto que es un excelente motor, y que con una pequeña adaptación podría impulsar ese coche. Pero no es menos cierto que no siempre será lo mejor, que difícilmente será lo más efectivo y que nunca será lo más rápido.

No por eso vamos a olvidar que sobre ese motor se desarrollaron todos los demás. Repito: *todos* los demás.

Como de costumbre, ninguna postura absoluta me es útil para transmitirte lo que quiero.

No me gustaría que creyeras que soy un equilibrista, quiero decir, alguien que busca equilibrio. ¡No! El equilibrio es estatismo, es igualdad, es indiferenciación, es muerte. No hay ser humano más equilibrado con su medio ambiente físico-químico que un cadáver.

Más bien soy un amante de la armonía, un enemigo de los absolutos y un enamorado de la posibilidad de que *A* y *anti-A* coexistan en interdependencia. ¿Recuerdas el símbolo del Yin y el Yang?

El círculo representa la totalidad, la completud, el todo.

Desde una mirada estática, este todo no es ni negro ni blanco. Hace falta del negro y del blanco (los opuestos) para integrar un todo. Y lo que es más interesante: mirando el antiquísimo símbolo notamos que ni todo lo blanco es blanco (contiene un punto negro) ni todo lo negro es negro (pues contiene un punto blanco).

Si a esta visión estática le añadimos movimiento y la contemplamos dinámicamente, podremos imaginar que el punto blanco en lo negro y el punto negro en lo blanco se agrandan, ocupando cada vez más espacio del color opuesto. Llegará un momento en que todo lo que era blanco será negro y viceversa; pero es sólo un instante porque, al siguiente, un punto negro nace en lo blanco y un punto blanco nace en el mismísimo centro de lo negro.

Nada es absoluto... Nada es permanente... (Ni siquiera esta frase.)

Después de todo, no hay luz sin oscuridad; no hay valor sin miedo; no hay cerca sin lejos; nada existe sin su opuesto.

Ya me siento como cuando nos encontrábamos en el consultorio, dejando correr mi ser, siendo ahora. Sin ocuparme de ser coherente o comprensible o ninguna otra cosa. Simplemente, siendo.

A veces, cuando consigo esto, *dejarme ser*, me conecto con una sensación de plenitud, de paz y de amor que amplía mi conciencia hasta trascender de mí.

Lo que me abre esta puerta es el no condicionamiento, es el no pensar, es el no prever...

Y ahora me doy cuenta de que es el *no*. Es decir, la nada, el vacío fértil. El único lugar desde donde puedo recibir todo porque tengo espacio para todo.

Krishnamurti escribe: «Una taza sólo sirve cuando está vacía». Recuerdo ahora la sensación de confusión que sentí la primera vez que leí esto. No conseguía entender qué significaba. (Cuántas veces me he perdido en la búsqueda del significado tratando de encontrarlo a través del intelecto, de mi parte computerizada:

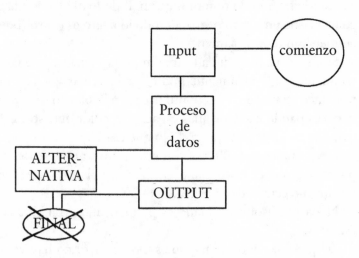

¡Boing! ¡Bing! ¡Strup! —¡Qué horror!—)

Entonces, la salida fue —como otras veces— *sentirme* taza. Imaginarme a mí mismo como una taza. Una taza llena... Llena de leche, pensé... La leche es algo útil, nutritivo, importante, vital. ¿De qué otra cosa podía imaginarme lleno yo en mi omnipotencia?

Me imaginé llevando mi contenido donde fuera más útil. Pero, ¡oh, sorpresa! No podía darlo sin vaciarme y, si lo hacía, dejaba de ser *la taza llena*... Y lo que me hizo sentir peor fue que yo sólo podía servir para aquella leche, caliente o fría, recién ordeñada o agria...

¡No! No era aquello lo que quería para mí.

No es eso lo que quiero *ahora* para mí.

Quiero vaciarme...

Para poder llenarme...

Para no estar nunca lleno...

Para ser la esencia de mí mismo...

Para vivir...

Ojalá puedas seguir mi delirio cuando leas esta carta... Aunque, después de todo, quizá no sea importante. Quizás, más que decirte, *me digo*, y tú seas sólo una excusa, la más hermosa excusa para dejarme *ser* en este momento, aquí y contigo.

CARTA 2

¡Parece que sigues creyendo que los porqués sirven para algo!

Bueno, en realidad, para algo sirven...

Sirven para dar explicaciones...

Para justificarme...

Para no responsabilizarme de mis cosas...

Para esconderme detrás de las palabras...

Para excusarme...

Para evitar mi sentir...

Para relativizar mi presente a mi pasado...

Para no vivir aquí y ahora.

¡Qué diferencia con las preguntas más constructivas de *¿cómo?*, *¿qué?*, *¿cuándo?* o *¿para qué?*!

A veces pienso que el *porqué* es el gran vicio del psicoanálisis. En su eterno retornar al pasado se parece a la arqueología: una gran construcción fantasiosa basada en suposiciones y en «hallazgos» que alimentan tales suposiciones.

—¿Cómo «suposiciones»? ¡La historia es una realidad!

—Bueno. Demuéstrame que existió realmente 1492.

—Te podría enseñar libros que datan de entonces.

—¿Sería una prueba fehaciente?

—Bueno... Prueba, prueba, no.

—Vengamos más cerca. ¿Qué podrías hacer para demostrar que existió el mundo hace cien años?

—Te puedo enseñar fotos, recortes de diarios, ropas...

—¿Lo mismo para tu vida?

—Lo mismo, más mis recuerdos.

—Bien. Intenta pensar el mundo tal como lo conoces, el mundo con todo lo que contiene, incluyendo ruinas, fotografías, libros e, incluso, tu propio recuerdo... Este mundo que lo incluye todo es real, es aquí y ahora. ¿Podrías demostrar certeramente, sin lugar para la más mínima duda, que este mundo no fue creado hace cinco minutos?

—(*Confusión*...) Demostrar, creo que no. ¡Pero todavía tengo mis recuerdos!

—En primer lugar, tus recuerdos podrían ser falsos recuerdos, podrían haber sido inducidos de manera artificial.

Nietzsche cuenta que la memoria y el orgullo discutían: la memoria sostenía que así había sucedido, y el orgullo que no podía haber sucedido así. Se miraron... ¡Y la memoria se dio por vencida!

En última instancia, nuestro pasado es una suposición, una fantasía, una explicación de cómo los hechos llegaron a ser los actuales.

Además, tus recuerdos son aquí y ahora. No allí y entonces.

El recuerdo es útil —es cierto—. A veces es útil.

Pero no lo es cuando apoyo mi vida en él.

Cuando dependo de él.

Cuando digo: «A mí me lo enseñaron así...»

«Siempre lo hice así...»

«En mi casa era así...»

Un ejemplo de Thomas Harris:

(En casa de la pareja.)

(La esposa ha cocinado un hermoso jamón al horno para su marido por primera vez —por primera vez el jamón, no el marido...)

ÉL *(lo prueba).*— Está exquisito. ¿Para qué le has cortado la punta?

ELLA.— El jamón al horno se hace así.

ÉL.— Eso no es cierto. Yo he comido otros jamones asados y enteros.

ELLA .— Puede ser, pero con la punta cortada se cocina mejor.

ÉL.— ¡Es ridículo! ¿Por qué?

ELLA *(duda).*— Mi mamá me lo enseñó así...

ÉL.— ¡Vamos a casa de tu mamá!

ACTO SEGUNDO

(En casa de la madre de Ella.)

ELLA.— Mamá, ¿cómo se hace el jamón al horno?

MADRE.— Se adoba, se le corta la punta y se mete en el horno.

ELLA *(a Él).*— ¡¿Has visto?!

ÉL.— Señora, ¿y por qué le corta la punta?

MADRE *(duda).*— Bueno... El adobo, la cocción... ¡Mi madre me lo enseñó así!

ÉL.— ¡Vamos a casa de la abuela!

ACTO TERCERO

(En casa de la abuela de Ella.)

ELLA.— Abuela, ¿cómo se hace el jamón al horno?

ABUELA.— Lo adobo bien, lo dejo reposar tres horas, le corto la punta y lo cocino a horno lento.

MADRE *(a Él)*.— ¡¿Has visto?!

ELLA *(a Él)*.— ¡¿Has visto?!

ÉL *(obstinado)*.— Abuela, ¿para qué le corta la punta?

ABUELA.— Hombre, le corto la punta ¡para que pueda entrar en el horno! Mi horno es tan pequeño...

(Cae el telón.)

El ejemplo es, para mí, gráfico y concluyente.

Ahora el problema cambia: ¿Cómo diferencio el recuerdo útil de la estupidez? ¿Cómo separo el aprendizaje y la experiencia del prejuicio (etimológicamente, juicio-previo)?

Quizás éste sea el más trascendente de los desafíos para quienes intentamos vivir nuestras vidas en conexión con el aquí y ahora.

Me doy cuenta de que sólo puedo aportarte algunos elementos:

1. La experiencia es vivida en forma global, por toda la persona (*holísticamente*, como diría Fritz Perls). El prejuicio es solamente intelectual.

2. La experiencia puede ser cuestionada por mí permanentemente, sin conflictos. El prejuicio es concluyente, no admite revisiones.

3. La experiencia me contacta con el episodio que vivo. El prejuicio evita.

4. En resumen: la experiencia enriquece mi campo sensible, mi sentir, mi vivenciar, mi imaginar... El prejuicio me achica, me encapsula. El prejuicio es, en una palabra, un condicionamiento.

Volvamos al principio. Si la idea de salud incluye la de libertad, no podemos hablar de terapia sin el concepto de *desacondicionar*.

No dudo que la intención psicoanalítica básica es desacondicionar, pero encuentro que algunos colegas sólo consiguen cambiar algunos condicionamientos enfermos por otros «más sanos», sin dejar de ser condicionamientos.

Lo que yo, y otros como yo, queremos hacer es, realmente, desacondicionar. Devolver al individuo su libertad, su capacidad de decidir, de actuar, de vivir... En última instancia, que recupere su capacidad de elegir.

Elegir y hacerse responsable de su elección.

Estoy hablando de ELEGIR. No de optar. No de descartar las alternativas indeseables y quedarme con el resto.

Ante un sendero, éste se bifurca en dos caminos... Uno de terciopelo y otro de espinas. Yo voy por el de terciopelo porque las espinas me dañan; tú vas por el mismo porque la suavidad del terciopelo te fascina. Tú eliges, yo opto.

Me desperdigo...

Cuando avalo mis actitudes en una orden de mis padres, en una imposición moral, en un concepto social o en un precepto religioso, ¡no me estoy haciendo responsable de lo que hago! («Después de todo —me miento— el que obedece nunca se equivoca.»)

En cambio, cuando soy un adulto, cuando soy yo mismo, cuando no me engaño, puedo seguir teniendo padres, moral, sociedad y religión, pero no necesito explicar ni refugiarme en ellos.

Elijo y me hago responsable de lo que elijo.

¡Atención con lo que elijo! Esto implica que soy responsable de todo lo que hago y de todo lo que digo, que soy responsable de todo lo que dejo de hacer y de todo lo que me callo; y también implica que de lo único que no soy responsable es de lo que siento. (*Sí*, de lo que haga con lo que siento, pero *no* de lo que siento.) Porque esto que siento no lo elijo yo, porque no hay nada que yo pueda hacer para sentir algo diferente de lo que siento.

Vuelvo...
Me preguntas por qué elegí ser médico.

En este momento, creo que no lo sé y que si lo supiera quisiera olvidarlo. En cambio, si me preguntaras *para qué* elegí ser médico, tengo una respuesta muy clara: elegí ser médico para crecer *de esta manera*.

CARTA 3

Mi querida amiga:

Bueno, bueno... Me llenas de preguntas.

Respecto de la última frase de mi carta anterior: «Elijo ser médico y elijo esta manera de crecer», me recuerda una frase de la doctora Saslavsky (a quien yo llamo siempre mi «mamá» profesional): «Los pacientes son los pretextos para nuestro propio crecimiento».

¡Y es tan cierto...!

Te imagino preguntando.

—¿Cómo? ¿Pretexto? ¿Vosotros no sois terapeutas? ¿No nos ayudáis? ¿Nos usáis? Y cientos de preguntas más que sé que eres capaz de hacer en treinta segundos.

¡Vayamos despacio...!

Cuando un paciente llega al consultorio por primera vez, le menciono —entre otras cosas— la importancia que para mí tiene la doble elección del vínculo terapéutico. Esto quiere decir que no sólo él debe elegirme como su terapeuta, sino que también yo lo elegiré a él —o no— como paciente.

En general, esta elección la hago en forma intuitiva. Simplemente siento que puedo y quiero ayudarlo, me gusta, despierta mi interés o vete a saber qué.

A partir de la elección que solemos hacer en dos o tres entrevistas, comenzamos a trabajar juntos.

Repito: JUNTOS.

El vínculo no es jerárquico.

No soy un genio frente a un tonto, ni un maestro frente a un alumno. Somos dos personas con distintas experiencias, con distintas maneras de ser, de pensar y de sentir.

Es cierto... Prestamos más atención a su problemática personal que a la mía, pero esto es sólo debido a que suponemos —repito: suponemos— que hay una cantidad de cosas que yo tengo vistas y capitalizadas.

Ésa es mi única ventaja; la de él es que, sin duda, sabe mucho más sobre sus problemas que yo.

De ahí que, con el aporte de ambos, las posibilidades de crecer se multiplican. No únicamente las de mi cliente (antes me molestaba esta palabra; ahora la encuentro muchas veces más apropiada que paciente), sino también las mías.

Cualquier contacto sano con el otro me enriquece en sí mismo y más aún cuando puedo dar de mí.

Suena paradójico eso de enriquecerse dando, y sin embargo siento que es así.

Es que, cuando doy, vivo el acto de recibir del otro como una entrega de su parte... Del mismo modo, me entrego al otro cuando recibo lo que me da.

Para mí es diferente *dar* que *regalar* o *invertir*.

En el *dar* hay implícita una doble dirección: doy recibiendo. Cuando doy, algo que es mío pasa a ser tuyo y, en el mismo instante, algo tuyo —tu aceptación— pasa a ser mío.

En el *regalar*, en cambio, no hay bidirección: te brindo algo pero no recibo nada. Cuando te regalo, te paso algo que, de alguna manera, siempre fue tuyo. (Te compro un disco: lo compro para ti, pero nunca fue mío.)

Por último, llamo *invertir* a la actitud de brindar esperando compensación posterior y, si es posible, con intereses. Cuando hago una inversión, no te doy ni te regalo, sólo te presto algo que sigue siendo mío y que, de alguna forma, espero que me devuelvas, además del rédito que me corresponde.

El autodiagnóstico es fácil: cuando doy, estoy recibiendo; cuando regalo, no recibo ni lo haré; cuando invierto, espero recibir algo del otro.

¿Comprendes ahora lo que quería decirte con elegir esta forma de crecer?

Es por esto que, a través de mi profesión, me enriquezco permanentemente y hago uso de mi mejor egoísmo.

A diferencia de otros tipos de terapia, encuentro que lo terapéutico, lo que sirve, lo útil, no es una interpretación adecuada, una medicación justa ni un consejo sano. Lo único terapéutico es el vínculo entre mi cliente y yo.

¿Cuál es ese vínculo?

El Amor.

Sí, sí. ¡Amor! En algún momento hablaremos sobre qué significa esta palabra que ha sido tan usada, tan malgastada, tan distorsionada, tan desvirtuada. Por ahora quiero que sepas que es, para mí, casi una condición indispensable para aceptar a un paciente: que me sienta capaz de amarlo en el mejor y más claro sentido de la palabra.

Muchas veces me han preguntado si amar a un cliente no es peligroso. Para mí no lo es y, en cuanto a él, parto de la base de que un tratamiento psicoterapéutico *siempre* es peligroso.

Una vez, Fritz Perls (el creador de la terapia gestáltica) atendió a una mujer que había intentado suicidarse varias veces. En medio de un ejercicio terapéutico, ella descubrió que, en realidad, su deseo era matar a su esposo, y no a sí misma.

Terminada la sesión, la paciente dejó el consultorio y, pocas horas más tarde, intentó asesinar a su marido.

Incluso en este caso, que considero muy extremo, sigo sintiendo que fue más sano que la mujer contactara con su verdadero deseo que transformarlo —por no permitírselo— en autoagresión.

Creo que si se hubiera permitido hablarlo, sacar fuera aquel deseo homicida, quizás, sólo quizás, no hubiese necesitado intentarlo.

En todo caso, cualquier terapia «seria» es peligrosa, y el riesgo implícito —creo yo— vale la pena.

CARTA 4

Amiga mía:

Cuando recibo una carta tuya, algo dentro de mí vibra y salta.

Lentamente miro el sobre... El sello... Tu letra... ¿Estabas tensa esta vez? ¿O quizás tenías prisa?

Me tomo tiempo para sentirte en contacto conmigo antes de leer el contenido...

Cada carta tuya es ahora un pedazo de ti que me das... Cada una de las mías es igual...

Ahora imagino que soy un sobre. Me ponen dentro una carta para ti, me cierran, me escriben tu dirección en la panza y me llevan hasta el correo...

Ahora viene la parte más difícil: el matasellos. ¡Ay!

Me ponen en una pila con compañeras circunstanciales, me pasan a una bolsa y, de allí, al avión.

Estoy viajando hacia el norte. Es mágico compartir este viaje con otras compañeras. Miles de millones de palabras escritas llevan mensajes similares al mío. O no...

Allí, la carta de una madre a su hijo; más abajo, una reclamación de pago; aquí, al lado, una felicitación de Navidad y, más lejos, una compañera ostentosa, con muchos colores, letras grandes y atractivos dibujos. (Me pregunto qué venderá.)

El avión aterriza...

Nos clasifican, subimos a un camión...

Ahora estoy en la bolsa del cartero... ¡Ya llego! Toca el timbre. Se abre una puerta y... ¡Ahí estás!

¡Qué placer estar entre tus manos!

Tu mirada me hace sentir muy bien.

Te sientas y me acaricias... Con mucha suavidad, me abres y sacas la carta para leerla... (Me encanta ver cómo te tomas tiempo.) Lees. Miras al techo... Vuelves a leer y sonríes...

Ahora vuelves a guardar la carta dentro de mí. Otra vez tus caricias.

Me llevas a tu habitación y me guardas en tu cajón, con otras cartas, con tu joyero, unas llaves y *El Principito*. Me siento en el cajón de tus tesoros.

Allí me quedo...

De vez en cuando, abres el cajón y me miras. Otras siento que estás en contacto conmigo sin siquiera verme.

Hoy ha llegado otro sobre que has puesto encima de mí, con la misma ternura con que lo hiciste conmigo, y yo no me he puesto celoso. Me he sentido mayor y más importante.

Tengo la sensación de ser un eslabón, un eslabón más y, a la vez, el más importante eslabón de una cadena que te une —no que te separa— con Jorge... Conmigo.

* * *

Ahora vuelvo a ser yo mismo y, sin embargo, imaginar que era un sobre me ha hecho sentirte más cerca, todavía más.

¡Qué hermoso es viajar para verte y estar contigo cada vez que quiero!

¡Qué hermoso es amarte!

¡Qué hermoso es que existas!

CARTA 5

Claudette:

Me pregunto si tus preguntas no tienen fin. ¿Quieres saber qué opino sobre la teoría psicoanalítica de la neurosis?

Me parece un trabajo intelectual excelente y que, indudablemente, echa luz sobre la comprensión de lo que podría ser el proceso de gestión y de instauración del trastorno neurótico. Sin embargo, no quiero dejar de decirte que, en mi opinión, no se necesita un conocimiento sobre el curso de los electrones o sobre las teorías de Alexander Volta para cambiar una bombilla o arreglar una plancha.

Para estas y otras cosas, en general, basta con el sentido común, la observación y el aprendizaje empírico.

Un neurótico es alguien que no disfruta de su vida.

Es alguien a quien *le pasan* las cosas.

Es un disconforme permanente.

Es un manipulador de los demás y de sí mismo.

> *Un neurótico es alguien que pasa la mitad de su vida poniéndose trampas y la otra mitad cayendo en ellas.*

Esta última frase me encanta; me parece clara y completa.

Preguntarás: ¿Cómo se manifiestan estas trampas...?

Fundamentalmente, en un individuo neurótico aparecen cuatro cosas:

1. *Inmadurez.*
2. *Anhedonía.* (¡Qué palabra!)
3. *Interrupción.*
4. *Falta de límite entre el exterior y el interior.*

1. *Inmadurez.* Es la falta de maduración, entendiendo por *maduración* un proceso de crecimiento continuo que consiste en traspasar el apoyo ambiental al autoapoyo.

Proceso significa tiempo y cambio.

Crecimiento significa expansión del Yo.

Continuo significa que no tiene principio ni final durante la vida del individuo.

Respecto del *apoyo ambiental* y el *autoapoyo*, quédate por ahora con el sentido obvio de estos conceptos y dejemos para otra carta más aportaciones sobre este punto.

2. *Anhedonía.* Es la ausencia de placer, la incapacidad para obtener bienestar de lo que se hace.

No importa cuánto esfuerzo se haga, cuán importante sea su logro, cuán adecuada sea su conducta. El neurótico no se permite el placer, por lo menos *no* el placer pleno, el que satisface, el placer sano.

3. *Interrupción.* Es el mecanismo por el cual el neurótico impide que un proceso se desarrolle naturalmente y concluya.

Interrumpir, etimológicamente, significa «romper un vínculo o contacto entre dos cosas, personas o situaciones».

Si para pasar de A a B me interrumpo infinitas veces, nunca llegaré.

El mejor ejemplo es el del proceso de confusión. Cuando

algo me *confunde*, tengo dos posibilidades: a) tratar de salir de la confusión; b) dejarme estar en ella.

El primer caso es el de la interrupción. Quizás, en apariencia, se obtenga una sensación de tranquilidad, pero esa tranquilidad es por «superar» el miedo a estar confuso y no por aclarar qué me confunde.

La confusión es un proceso normal de *darse cuenta*; sólo a partir del contacto con mi descubrir («des-cubrir») la realidad.

En el segundo caso, cuando no me interrumpo, dejo que el proceso se complete y se agote para salir de él. Salir de la confusión es, muchas veces, la consecuencia de mi dejarme estar en ella.

La certeza es, en general, la consecuencia de la duda y, por lo tanto, un *no sé* es una apertura y el más positivo de los caminos hacia la realidad.

Interrumpir es condenarme a mantener dentro de mí mismo una situación inconclusa que dejará paso a nuevas interrupciones.

4. *Falta de límite entre el exterior y el interior.* Esta es quizás la más clara manifestación de los trastornos neuróticos. Darme cuenta de que el límite de mi piel separa mi exterior de mi interior parece una perogrullada y, sin embargo, es la dificultad que da origen, en gran medida, a las otras tres.

Cuando interactúo con el otro y él me dice lo que le molesta, lo que le gusta o lo que le duele, sólo puedo contactar conmigo mismo teniendo claro que *él está fuera de mí* y, así, hacerme cargo únicamente de lo mío. Porque «sólo soy perchero de mi propio sombrero».

Te acordarás de lo afecto que soy a decir «asunto tuyo» o «asunto suyo»... Estas frases son, para mí, como la profundización de mi conciencia del *afuera* y el *adentro*. Creo firmemente que si todos pudiésemos darnos cuenta de esta diferencia, de este límite que impone nuestra piel, gran parte de las broncas, de las frustraciones, de las expectativas y de los sacrificios que padecemos morirían de muerte natural.

A partir de todo esto tratamos de ayudar a nuestros pacientes.

Si conseguimos que tan sólo uno de ellos comprenda qué cosas son *adentro* y qué cosas son *afuera*, si conseguimos que no se interrumpa, que disfrute de sus cosas y que se apoye sobre sí mismo responsabilizándose de sus actos, entonces nosotros perderemos un cliente y él ganará una nueva vida.

CARTA 6

Amiga mía...

Escribirte es una de las cosas que más disfruto en mi vida...

Me alegra, claro, que mis cartas te gusten y más me alegra mi propio placer...

Podría haber escrito: «*pero* más me alegra...», pero esto tendría otro significado.

La palabra *pero* es una de las trampas del lenguaje. Cuando digo *pero* intento invalidar total o parcialmente lo que dije antes.

«Yo no tengo nada contra los negros *pero*...»

Y, antes de seguir escuchando, yo ya sé que quien dice esto tiene algo contra los negros.

Me importa utilizar las palabras en su verdadero sentido. Esto suele ayudarme a hacerme responsable de lo que digo y hago, responsable de lo que soy, responsable de mí mismo.

Cada vez que me encuentro diciendo un *pero* trato de reemplazarlo por *y además*. Si el reemplazo encaja, entonces elijo esta otra forma de decirlo. Si no encaja, entonces hay dos posibilidades: o la primera parte de la frase no es lo que quiero decir o voluntariamente estoy tratando de invalidarla, quizás para enfatizar la segunda, quizás para hacer una aseveración paradójica.

Sea como sea, siempre me sirve para darme cuenta de alguna zona poco clara de mí mismo.

¡DARME CUENTA! ¡Qué importante!

Desde que leí a Perls me gustó este modo de enunciar el proceso de salud.

¡Qué diferente suena *darse cuenta* de *tomar conciencia*!

«Tomar conciencia» me suena intelectual, razonable, frío y parcial. «Darse cuenta» es total; me doy cuenta con todo mi ser, orgánicamente, según la Gestalt.

Ya Fritz Perls, en los últimos años de su vida, había casi abandonado su denominación de terapia gestáltica y prefería llamarla «Terapia del Darse Cuenta» (*Awareness Therapy*).

El sistema creado por él creció más allá de la psicología de la Gestalt, en la cual Perls se apoyó para su trabajo creativo y, por lo tanto, la denominación de *Terapia Gestáltica* queda ahora como un rimbombante título, distante a años luz de la dinámica y del proceso implícito en el intercambio terapéutico de la técnica.

Ahora que escribo esto, siento que estoy siendo injusto y que estoy hablando de la Gestalt como si fuera una psicología, una técnica o una terapia, cuando en realidad no es *sólo* eso: es, además, una filosofía de vida, una manera de pensar y una manera de ser.

¡Otra vez me estoy dispersando!

Quiero hablarte sobre las trampas del lenguaje.

Todo sucede como si el lenguaje exterior, el que solemos usar para comunicarnos con los demás, no siempre fuera el reflejo fiel de lo que *aparentemente quiero decir*.

> *A VECES, YO SOY YO*
> *Y MI LENGUAJE ES MI DISFRAZ*

Por ejemplo, imaginemos que quiero decirte lo siguiente: «Ayer, cuando me insultaste, me enfadé mucho y sentí ganas de romperte una silla en la cabeza».

Si me disfrazo te digo: «A veces, la agresividad perturba a cualquiera». (???)

Fíjate en la indefinición, la ambigüedad y la falta de compromiso de la segunda frase: «A veces (¿cuándo?), la agresividad (¿cuál?, ¿de quién?, ¿con quién?) perturba (¿qué hace?) a cualquiera (¿a quién?).

Otro ejemplo. Te digo: «¿Tienes ganas de tomar un café?» en lugar de: «Quiero tomar un café contigo. Te pido que me acompañes».

Muchas veces hacemos preguntas en lugar de afirmar un pensamiento que nos pertenece.

Éstas son nuestras «frases encubridoras».

Si cada vez que hago una pregunta trato de encontrar la afirmación escondida, me daré cuenta de muchas afirmaciones que me callo.

Preguntar es una eliminación, un robo que hago de una parte de lo que digo o de toda mi expresión.

En la pregunta no hay compromiso, hablo sin decir, me disfrazo.

¿Para qué hago estas cosas? Quiero que los demás me quieran (?), que me aprueben, que me acepten, que estén contentos de conocer a una persona tan agradable y gentil como yo. Tengo miedo de que me rechacen, que me abandonen, que me critiquen, que no me quieran.

Y, entonces, abro el baúl de los recursos y me disfrazo: una nariz redonda, un poco de colorete, un sombrero atractivo, unos zapatos graciosos y, sobre todo, traje y corbata (porque no hay que perder la formalidad...). Entonces te engaño, te estafo, te miento...

Tú aceptas mi disfraz, quieres mi disfraz, admiras mi disfraz... Y si lo hago bien quizás ni siquiera te des cuenta y creas que te estás relacionando conmigo.

Un día yo me doy cuenta y empiezo a echarte de menos. Quiero que contactes conmigo... Conmigo de verdad.

Y me quito la nariz, el colorete, el sombrero, los zapatos, el traje y la corbata. Y lo guardo todo en el baúl de los recursos y guardo el baúl bien lejos, para que no estorbe el paso.

Ahora sí.

    Ahora soy yo.

        Ven conmigo.

           Mírame.

              Tócame.

                Huéleme.

                  Escúchame...

                Soy yo.

Es cierto. Ahora muchas más personas me rechazan y también es cierto que muchas menos personas me quieren, pero (y aquí sí sirve el *pero*) cuando te encuentro a ti, a ti, que me aceptas así, tal como soy... ¡Qué placer! Imagínatelo. ¡Qué placer!

¡NO TE DISFRACES PARA MÍ! ¡LO QUE YO QUIERO ES ESTAR CONTIGO!

Claudia:

¿Por qué te apresuras? (Miento, esto no es una pregunta.)

No te apures... (Miento otra vez.)

¡No *me* apures!

No se trata de *saber*, se trata de *darse cuenta*.

Si utilizamos la semántica, la gramática y la etimología para «hablar bien», posiblemente conseguiremos hablar bien, pero esto no tiene nada que ver con el proceso de *darse cuenta*.

El acento que pongo en *cómo* hablamos es un camino (hay otros, habrá mejores), una manera de transitar este proceso.

Una de las trampas sobre las que intento trabajar últimamente es el «tengo que»...

El detective maravilloso entra en la habitación y sorprende al gángster aún con la pistola en la mano. A su lado se encuentra el cadáver de su mejor amigo. El detective le coloca las esposas con poca o ninguna resistencia del asesino quien, con la cara desencajada y la mirada perdida en el infinito, es conducido dócilmente al coche policial mientras repite: «¡Tuve que hacerlo! ¡Sabía demasiado!».

¿Tuvo que hacerlo? ¿Qué querrá decir con «*tuve que hacerlo*»? ¿Quién lo obligó?

Exactamente lo mismo hacemos a diario cuando hablamos de lo que *tenemos que hacer*.

Tengo que implica obligación, imposición, deber (*deber* es *estar en deuda*).

Cuando me encuentro creyendo que *tengo que* hacer o decir algo, replanteo la idea de cómo *elijo* o *decido*. Esto me ayuda a sentirme plenamente responsable de mis actos. Y entonces, lo que hago, aunque no sea lo que más me gusta, puede ser agradable. No hay agrado desde el «tengo que».

No siempre elijo hacer lo que más quiero. A veces renuncio a lo que más me gustaría para conseguir otra cosa (conservar un trabajo, por ejemplo).

De todos modos, en el *elijo* o en el *decido* me estoy haciendo responsable, soy dueño de mí, soy plenamente yo.

La mejor manera de sentir esto con claridad es sobre nuestras propias cosas.

Intenta hacer una lista de tus *tengo que*. Construye seis o siete oraciones que comiencen con «*Tengo que...*» y lo que surja después, sin pensar demasiado...

Tengo que ....

Tengo que ....

Tengo que ....

Tengo que ....

Tengo que ....

Tengo que ....

Ahora, reemplaza en esas mismas frases el *tengo que* por *elijo, decido* o *quiero*...

Elijo, decido y quiero ....

Elijo, decido y quiero ....

Elijo, decido y quiero ....

Elijo, decido y quiero ....

Elijo, decido y quiero ....

Elijo, decido y quiero ....

Pruébate estas frases nuevas, como si fueran una camisa, para ver cómo te sientan...

Quizás te parezca que algunas no encajan, pero date tiempo. Tenlas presentes y antes o después comprobarás que ésta es la realidad.

No hay muchos *tengo que* reales en nuestra vida: comer, beber, respirar... ¿Cuántos más?

Imagino la situación de *tengo que* como un cavernícola transportando una piedra de una tonelada sobre sus hombros: transpira, sufre, se queja, se lastima, pero continúa...

El *elijo* no hace desaparecer la piedra, pero me la imagino ahora montada sobre unas primitivas ruedas y con nuestro personaje sentado encima, guiándola. Su expresión ha cambiado. Él sabe que hasta puede bajar de allí si lo desea.

Me estoy poniendo pueril. ¡Sí! Me encanta sentirme infantil.

Me gustaría que estas cartas no tuvieran palabras, que fueran dibujos o pinturas o esculturas, expresiones que no te digan, que te dejen sentir lo que yo siento.

Es obvio que mis limitaciones en la expresión gráfica van más allá de mis deseos de expansión, así que, por ahora, me conformaré con las palabras aunque muchas veces no sean suficientes.

Yo sé que tú puedes comprenderlo todo, *incluso lo que digo con palabras.*

CARTA 8

Sol
arena y
mar,
silencio y
paz,
verde,
amarillo y
azul,
viento,
luz y
música...

... Todo eso soy
de vacaciones en la playa.

CARTA 9

Amiga,

Yo creo que lo mejor sería empezar por leer a Krishnamurti. Por lo menos, así empecé yo.

Después de licenciarme, hice mi formación en la especialidad, primero en el hospital, en varias clínicas después y, luego, como muchos otros, en mi propia búsqueda.

Para aquellos de mis compañeros que eligieron el psicoanálisis, la cosa era mucho más clara: terapia personal, grupos de estudio, terapia didáctica y nada más.

Para mí, en cambio, aquel camino no servía. Yo sabía que el psicoanálisis era una entre setenta o más formas de psicoterapia y *yo había decidido elegir*.

Durante mis años en las clínicas había atendido, casi exclusivamente, a pacientes psicóticos. Con ellos la técnica era el afecto llano, sincero y directo. Todo lo demás —la medicación, los estudios clínicos, el lugar— eran complementos de lo que Balint llamaba «la droga *médico*», y que yo aprendí a administrar con cautela, cuidando de no dar dosis tan diluidas que no cumplieran su efecto, ni de administrar una sobredosis que, como la de los medicamentos, pudiera causar una intoxicación, un rechazo o un efecto secundario.

Por aquel entonces creía que *yo* curaba a mis pacientes. Aquello significaba que entre el brujo de la tribu, que intercedía ante los poderosos dioses, y yo había sólo una diferencia de tiempo y espacio, pero estructuralmente éramos iguales. O tal vez lo mío era más grave: al no ser muy creyente, en realidad, dios era yo mismo y, aunque jamás lo pensaba así, recuerdo que algunas de mis actitudes mostraban aquella fantasía.

Después cambió mi posición: no era yo quien curaba, sino la medicina. («La Medicina...»; «El Arte de Curar».) ¡Qué categoría! ¡Qué soberbia! ¡Qué petulancia! ¡Qué estupidez!

Mucho tiempo después, me di cuenta de que la medicina no cura nada y, lo que es peor, *yo* tampoco.

A excepción de los cirujanos (que en realidad no curan, sino que extirpan) y de los antibióticos, la medicina se limita a asistir al enfermo, a apoyar «logísticamente» el proceso de curación y a dar una serie de pautas que permiten que este proceso se desarrolle con más rapidez, menos dolor o distintas consecuencias.

¿Cuál es, entonces, nuestro papel?

Estar atentos.

En obstetricia se estudia que nueve de cada diez partos se desarrollan normalmente y sin intervención profesional. En el restante, la pauta general como indicación para el profesional es intervenir lo menos posible.

En el campo de la salud mental estos porcentajes estadísticos se mantienen.

Volvamos...

Por aquella época yo estaba ávido de información. Leía cuanto llegaba a mis manos referente a la especialidad: psiquiatría biológica, psicoanálisis, terapia conductista, psicofarmacología e, incluso, terapia simbólica (?). Todo servía y todo *me* servía.

Yo había empezado a atender pacientes privados en mi casa. La técnica era absolutamente intuitiva. Aquello que servía para los psicóticos —el afecto y el interés en su persona—, ¿por qué no iba a servir para los neuróticos?

Yo hacía algunas interpretaciones, señalaba conductas, daba consejos y medicaba, pero sobre todo *exigía al paciente que se curase*.

Muchas veces, mis pacientes, *a pesar de mí*, mejoraban... Ahora lo entiendo. Se sentían queridos y valorados. En algunos casos, el hecho de que *yo* me hiciera cargo de ellos mejoraba su sintomatología, y esto rompía su círculo repetitivo de angustia, frustración, abulia, depresión... y otra vez angustia.

Un día encontré el libro de Moreno, *Psicodrama*. «¡Por fin!», pensé. Es una técnica movilizadora, completa y concreta.

Comencé a establecer contacto con colegas que practicaban el psicodrama.

A medida que estudiaba y veía las técnicas psicodramáticas en acción, me atrapaba más su dinámica, pero el lenguaje teórico era todavía muy psicoanalítico y no me satisfacía.

Alguien me recomendó *Yo estoy bien, tú estás bien*,* de Thomas Harris. Al leerlo, a pesar de ser un libro escrito como un *bestseller* al estilo americano, noté que el análisis transaccional y el psicodrama tenían puntos de contacto que podían ser incorporados a una sola técnica.

Y empecé a leer a Berne. Eric Berne dejó en mí elementos de trabajo valiosísimos que hoy uso con frecuencia y creo que seguiré usando durante mucho tiempo. Elementos muy claros, sencillos, didácticos y, sobre todo, útiles.

* Harris, Thomas A., *Yo estoy bien, tú estás bien*, Grijalbo Mondadori, Barcelona, 1997.

Es cierto. Me molestaba un tanto su ser esquemático, pero era una reserva tan pequeña que no le di importancia.

Con Berne, las técnicas psicodramáticas y mi intuición trabajé durante varios años.

Mi tarea terapéutica me parecía más sólida y yo me sentía más libre en el consultorio.

Hace unos años se produjo mi reencuentro con Zulema Leonor Saslavsky (mi madre profesional), «July».

Había conocido a July unos meses antes de doctorarme en medicina. Yo hacía teatro con un grupo de jóvenes y, entre todos, habíamos montado un pequeño espectáculo en el cual yo hacía las veces de animador.

Una noche, cuando terminó la función, alguien me presentó a la doctora Saslavsky. Nos pusimos a charlar y ella me contó que era médica psiquiatra. Le conté que me faltaban tres asignaturas para graduarme y que tenía ganas de estudiar psiquiatría.

July sacó una tarjeta, me la dio y me dijo:

—Cuando te doctores, si quieres, ven a verme al hospital. Quizá puedas entrar en mi equipo.

Me doctoré un viernes 23 de mayo y el lunes 26 me fui al hospital a preguntar por la doctora Saslavsky. July estaba en la sala. La esperé dos horas. Cuando me vio, se acordó inmediatamente de mí y de su ofrecimiento. Me preguntó qué quería. Le contesté que ella me había ofrecido entrar a trabajar en el hospital y que...

Me interrumpió y me volvió a preguntar qué quería. Yo le dije que aquel hospital tenía fama de tener un buen servicio de psicopatología y que entonces...

July resopló, me miró fijo y preguntó por tercera vez qué quería. Respondí:

—Aprender.

—Bien, entonces mañana a las 7.30 aquí.

Los dos años pasados junto a July en el hospital fueron

duros y nutritivos. Un día, a los dos meses de empezar a trabajar allí, nos llamaron para entrevistar a un paciente internado en Cirugía General. July lo interrogó, leyó su historia clínica, habló con el médico que estaba a cargo y, luego, en la hoja de indicaciones, lo medicó. Salimos de la sala. Caminábamos hacia el bar. Yo dije:

—Yo no lo hubiera medicado.

July se paró en seco, se dio la vuelta y dijo:

—Tú no. Yo sí.

(Muchos años después entendí aquellas «actitudes pedagógicas» de July.)

Cuando dejé el hospital, dejé también de ver a July durante años. Un día, Lita me pidió que le recomendara una terapeuta mujer. Yo quiero mucho a Lita y pensé: «Una terapeuta no: la mejor». ¿Quién es la mejor? ¡La doctora Saslavsky! La busqué. Encontré su número en una desactualizada cartilla de una obra social. La llamé. Nos encontramos. Eran las once de la mañana de un sábado de invierno.

Al terminar de contarnos lo más importante y trascendente, eran las nueve de la mañana del domingo.

Cuando hablamos sobre lo profesional, yo le conté con detalle lo que hacía en el consultorio. July me dijo:

—¡Pero tú estás haciendo Gestalt!

—¿Qué?

—Gestalt...

—No tengo la menor idea de qué me hablas.

Se puso de pie, encendió un cigarrillo, caminó por la habitación, se acercó y me dio un beso. Me dijo:

—Creo que sería bueno para ti ponerte en contacto con la filosofía gestáltica.

Y, como siempre, sin esperar respuesta (o sabiéndola), se levantó, fue hasta su biblioteca y empezó a sacar libros.

—Éste, éste, éste no, éste después, éste también, éste y éste y éste otro...

Y volvió al sillón haciendo equilibrio con una pila de libros.

—Lee esto y después hablamos. Empieza por aquí —y me señaló *La libertad primera y última*,* de Krishnamurti.

—¿Qué tiene que ver la terapia con la filosofía hindú?

July encendió otro cigarrillo (nunca sé cómo es capaz de fumarlos tan rápido) y se limitó a repetir:

—Lee esto y después hablamos.

Y yo, que era muy rebelde, muy personal, muy cuestionador, muy poco disciplinado, pero sobre todo muy poco estúpido, me puse a leer...

Así llegué a Krishnamurti.

Fue revelador. Tanta claridad, tanta profundidad y tanta calidad... Me sorprendió.

Como él dice: «No importa si estamos de acuerdo. No importa si no recuerdan lo que digo. No me estudien, no me sigan, no me obedezcan. Tan sólo dejen que algo pase entre ustedes y yo».

Y algo pasó entre él y yo.

* Krishnamurti, J., *La libertad primera y última*, Kairós, Barcelona, 1998.

CARTA 10

Claudia,

Tu idea de guardar estas cartas ordenadas y dejarlas para que alguien las lea alguna vez... me emociona.

En realidad, ignoro el valor que todo esto que te digo puede tener; no obstante, la fantasía de poder recopilar un día estas notas para alguien me resulta absolutamente placentera.

Quizás haya sido también esta la manera en la cual mi bisabuelo escribió *El libro del Ello*.

Y aquí estoy yo, medio siglo después, enganchando esa fantasía y transformándola poco a poco en una ilusión.

Ahora dejo anidar en mí esa ilusión... Toma cuerpo, se afirma, ya es un deseo.

Si lo riego, lo cuido, lo dejo crecer, entonces en algún momento el deseo se transforma en proyecto. Y cuando llego allí sólo me queda establecer un plan de acción: una estrategia, tácticas de puesta en marcha y su ejecución.

Esta secuencia —fantasía, ilusión, deseo, proyecto, plan, estrategia, táctica y ejecución— es la manera más sana de concretar mis ganas en una actitud coherente con ellas.

Qué diferente es el proyecto (proyectarse, lanzarse hacia delante) de la expectativa (que deriva de expectante, de espectador).

En la expectativa mi actitud es pasiva: simplemente espero que suceda algo.

Esta actitud mía está vinculada con las diferentes vivencias que relacionan el proyecto y la expectativa con mi persona.

Tal como te dije, el proyecto es la respuesta a un deseo («quiero esto», «me gustaría», «tengo ganas»).

En cambio, la expectativa se relaciona con una necesidad («necesito», «es imprescindible para mí») o, en general, con algo que siento y que creo que es una necesidad aunque en realidad no lo sea.

Esto de la necesidad es otra trampa de la familia del *tengo que*. ¿Te acuerdas?

PACIENTE: Necesito hablar con Marta.

YO: ¿Necesitas?

PACIENTE: Sí, es imprescindible para mí.

YO: ¿Qué pasaría si no lo hicieras?

PACIENTE: Pues... Me sentiría muy mal.

YO: ¿Se pondría en juego tu existencia?

PACIENTE: Sí.

YO: No te creo.

PACIENTE: Bueno, tanto como mi existencia... No.

YO: Compara tu «necesidad» hacia Marta con la necesidad de oxígeno, por ejemplo.

PACIENTE: Claro, es diferente.

YO: ¿Podrías decirlo de otra manera, entonces?

PACIENTE: ... me gustaría hablar con Marta.

YO: Otra.

PACIENTE: ... es importante para mí hablar con Marta.

YO: Otra.

PACIENTE: Me haría bien hablar con Marta.

YO: Aquí aparece otra vez el prejuicio. ¿Te haría bien? ¿Y si Marta te manda a la mierda? ¿Te haría bien?

Paciente: Está claro, pero yo quiero hablar con ella.

Yo: Repite eso.

Paciente: **Quiero** hablar con ella.

Yo: ¿Cómo te suena eso?

Paciente: Bien. Muy bien.

Yo: Trata de darte cuenta de si, detrás de tu aparente necesidad, no te escondes de ti mismo. Cuando dices «necesito» no te haces **responsable** (responsabilidad, etimológicamente, significa capacidad para responder). La necesidad parece algo que está fuera de mí. Yo no tengo nada que ver. Me someto a algo que es imprescindible para mí. «**Yo quiero**», en cambio, es una expresión comprometida con todo mi ser.

«**Yo quiero**» implica una elección.

A partir de todo este razonamiento surge con claridad que cuando necesito algo, creo una expectativa. No hay un plan de acción en relación con ella, sino sólo una actitud dual frente a lo que pasará: por un lado, la ansiedad de que algo suceda y, por otro, el miedo de que no suceda.

Viviendo mis deseos como necesidades, si la consecuencia no sucede, parece mi aniquilación.

De paso, éste es un buen ejemplo sobre cómo se inventa un miedo.

El miedo es siempre un invento del pensamiento, «una frustración del pasado fantaseada en el futuro».

Si, tal como te decía, lo único **real** es el presente, todo lo depositado allá, en el pasado o en el futuro, es producto de mi pensamiento y, como tal, **no existe**.

Si nos rebelamos, la consecuencia fatídica que nos prometen es la «desesperanza», que no consiste en la falta de esperanza, sino más bien en un interminable oscilar entre la esperanza y la certeza de su no realización.

Realmente, este castigo es una tortura sin fin.

Sin embargo, existe una tercera posibilidad: la **auténtica** desesperanza. Es decir, la falta total de expectativas: no esperar nada de mi futuro.

Permitir que cada cosa que suceda me sorprenda; vivir cada instante de mi existencia sin anticipación; sentir el presente (**aquí y ahora**).

Claro. Si nos detenemos en esta idea, diremos: «¡Es muy difícil!», Sí, es muy difícil. ¿Y qué?

Seguro que es más fácil no comprometerse con la realidad. Es más fácil huir hacia el pasado o hacia el futuro. Es más fácil enfrentarse a cada situación habiéndola fantaseado cien veces antes, habiendo comprobado previamente todas sus alternativas... Y mejor si fueron mil veces... ¿Y qué tal un millón?

¿Por qué no dedicarse sólo a planificar, fantasear? ¡Pensar! Y sus derivados, como pedirle al buen Dios o al destino que no nos olviden; anticiparnos mediante profecías, astrología o adivinación, y así estar siempre bien preparados (preparados) para lo que nos vaya a suceder.

Tengo la misma sensación que frente al viejo chiste del señor que visitaba un sanatorio psiquiátrico y veía a los pacientes que se zambullían en la piscina al grito de: «¡Qué bonito será el jueves!». El señor se acercó a un enfermero y le preguntó:

—¿Qué va a pasar el jueves?

Y éste le contestó:

—¡El jueves llenarán de agua la piscina!

CARTA 11

Claudia:

«La felicidad consiste en permitir que todos los sucesos sucedan.»
   Lo escribió Barry Stevens.
      Ahora lo escribo yo...
         Ahora lo hago mío...
         Ahora es mío.

   «La felicidad consiste (¡Sí!) en permitir que todos los sucesos sucedan.»

Carta 12

Amiga mía:

Es verdad. Vivir no es fácil... Pero es hermoso, y ser tan hermoso es lo que lo hace fácil.

Cuando todo se complica y sale mal, me resulta útil observar los hechos y asistir a ellos sin esforzarme en tener actitudes heroicas. (No creo en las heroicidades.)

Casi siempre sucede algo. Y, si me tomo tiempo, asisto al siguiente instante, donde encuentro que un pedacito de todo lo que salió mal me es útil; algo de ello me enriquece; toda la situación me hace crecer.

Supongamos por un momento que es cierto que te equivocaste.

¿Y?

¿Qué te pasa con tus equivocaciones?

Vives tus equivocaciones como errores.

Errar es fallar.

Fallar implica una expectativa previa de acertar.

Una expectativa es un prejuicio.

Un prejuicio es un condicionamiento.

Un condicionamiento es una puerta que me cierro.

Si vives tus equivocaciones como errores te cierras puertas.

Equivocarme es una parte de mi proceso de aprendizaje (sin equivocación no hay crecimiento).

Equivocarme es una manera de hacer algo de forma nueva, una manera de crear. Equivocarme es darme cuenta de mi coraje y, a veces, por qué no, darme cuenta de mi lado estúpido.

¡Mi lado estúpido! Conozco pocas personas tan estúpidas como yo cuando soy estúpido. Y, lo peor de todo (o lo mejor de todo) es que, en general, me divierto tanto cuando soy estúpido que entro en realimentación y mi estupidez se prolonga, se prolonga y se proloooooooooooooooooooongaaaaaaaaaaaa...

La única razón que encuentro para fastidiarme con mis equivocaciones es el temor a la crítica: que los demás me critiquen, que se den cuenta —¡qué horror!— de que **no soy perfecto**. ¿Cómo puedo decepcionarlos de esa manera? ¿O será que yo creo que soy perfecto? ¿Seré yo el que podría resultar decepcionado?

Después de todo, nunca estoy seguro de que las críticas de los demás sean para mí. Quizás, cuando me criticas, estás criticando, en realidad, a esa parte de mí que es idéntica a la que no te gusta de ti.

Esto suena coherente.

Cada vez que algo del otro me molesta, me fijo cuánto de mío hay en su actitud.

Me irrita lo que él hace cuando yo también lo hago, cuando podría hacerlo o también cuando lo haría pero no me lo permito.

Dice Prather: «*Una piedra nunca me irrita a menos que esté en mi camino*».

De paso, éste es un excelente método (¿método?) para buscar en mi interior la parte de mí que no dejo salir.

¿Qué cosa mía está metida en el medio para que la actitud de Fulanito me moleste tanto?

A partir de esta pregunta, mi crítica hacia el otro es mucho más adecuada, pues finalmente no es para él sino para mí, y yo me cuido mucho y trato de ser muy suave conmigo mismo.

Te escucho preguntando:

—¿Siempre tu crítica es hacia algo que tiene que ver contigo? Entonces, ¡nunca me sirve lo que dices! No me aporta nada comunicarme contigo. ¿En qué me puedes ayudar si sólo me usas como pantalla de tus actitudes?

Despacio...

Primero, si eres un despiste, con seguridad me has elegido como pantalla porque soy una buena pantalla para tus actitudes; de alguna manera, me proyectas aquello que, con más o menos esfuerzo, me cabe. Y, segundo, si tu crítica me irrita o si genera en mí una actitud defensiva (explicaciones y justificaciones), esto me da la certeza de que tus críticas contactan —también— con mis propias zonas oscuras o con mi propia crítica a mi actitud.

Admitamos que podría suceder que tu crítica sea sólo proyección y que no me quepa; entonces no siento nada, no me enojo, no me defiendo, no trato de probar tu error... Si te quiero y me importas, lo mejor que puedo hacer es sugerirte que veas que lo que me dices quizás tenga que ver **también** contigo.

La primera vez que me doy cuenta de que, al criticarte, en realidad, **me** critico, es mágica.

Un camino que conduce a un mundo maravilloso se abre como por encanto y nos invita a recorrerlo. Es el mundo de aquello que depositamos en los demás.

En el encuentro con el otro proyectamos, introyectamos, imaginamos, nos identificamos, criticamos y amamos.

Sí, claro. ¿Cómo empezamos a querer a otro? Todo empieza por el mecanismo de identificación proyectiva (o, si te gusta más, respetando el orden de los hechos, mecanismo de proyección identificativa).

De pronto, yo, así rayado como soy, me encuentro con el otro, al que veo (lo sea o no) con una parte también rayada, como la mía: primer paso, proyección. Luego, como el otro es como yo (rayado), me identifico con él: fase identificativa. «Él y yo somos lo mismo», «como si fuéramos el mismo».

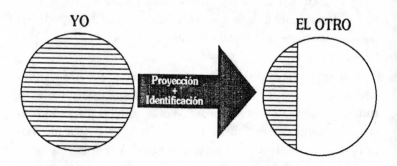

Ahora quiero en él esta misma parte que quiero y cuido en mí; u odio en él esta misma parte que rechazo y odio en mí.

Este camino de luz es, por suerte, un camino sin retorno. No decrece.

La sabia naturaleza nos puso la boca **delante** y el culo **detrás**.

La boca, para incorporar todo lo que encontramos (cosas que sirven y cosas que no). El culo, para dejar atrás lo no aprovechable.

Metabolismo puro.

Tomamos lo asimilable, lo útil. Desechamos el resto. ¡Es genial!

Aprendamos de nuestro tubo digestivo. Aprendamos de nuestro cuerpo.

La respuesta está siempre en nosotros mismos: sólo hay que querer buscarla... para encontrarla.

CARTA 13

Claudia:

Después de cerrar el sobre y mandar la carta anterior, me quedé con toda la impresión de que había estado confuso y revuelto. Esta sensación me ha interrumpido hasta ahora.

Me doy cuenta de que mi sensación se relaciona con el hecho de que el asunto de las críticas y de la proyección implícita es para mí fundamental.

Me gustaría mucho que hubiera quedado claro, transparente, coherente y, al mismo tiempo que escribo esto, me da rabia mi deseo de ser coherente.

* * *

—¿Qué quieres tratar de demostrar siendo coherente?

—No sé. Creo que quiero que Claudia se dé cuenta de sus propios mecanismos proyectivos.

—¿Y a ti qué te importa? ¿Quién eres tú para querer que ella se dé cuenta?

—Yo la quiero, y a partir de mi amor quiero lo mejor para ella.

—Lo mejor para ella es su propia libertad. En todo caso,

si ella te siente confuso, puede preguntar o decir «no comprendo».

—Es cierto.

—¿Entonces?

—Más bien me parece que estoy intentando demostrar(me) cuán inteligente soy.

—Ah... Es tu viejo truco de la omnipotencia.

—Sí, creo que sí. Y, además, es el contacto con mis limitaciones. Definitivamente, a veces siento que no puedo transmitir las cosas para dar lo que quiero dar.

—Tus límites, entonces, te interrumpen.

—*Mis límites*, cuando no los acepto, *me interrumpen*.

* * *

Ahora la interrupción ha cesado.

Una vez resuelta una situación, mi campo de atención queda libre para ocuparme de otra.

Nuestra capacidad de darnos cuenta es limitada.

¡Sobre todo la mía!

CARTA 14

Amorosa:

En parte tienes razón, aunque no totalmente.

Mi interlocutor en el diálogo de la carta anterior no era exactamente yo mismo. En *Sueños y existencia*,* Fritz Perls dice:

«...Yo, este Fritz, no puedo ir a casa con ustedes. No me pueden tener como terapeuta permanente. Pero sí pueden tener *su* propio Fritz personalizado y llevarse *ese* con ustedes. Él sabe mucho más que yo porque es una creación de cada uno. Yo sólo puedo adivinar, interpretar o teorizar respecto de lo que ustedes están viviendo. *Yo puedo ver el grano, pero no sentir el picor*».

He leído todo lo que se ha publicado de Fritz. He visto filmaciones de sus sesiones de trabajo. Tengo guardadas todas las transcripciones que han llegado a mis manos de sus sesiones de grupo. He devorado cuanto han escrito sobre él otros que lo han conocido. Creo conocer su manera de ser, de pensar, de sentir.

* Perls, Fritz, *Sueños y existencia*, Editorial Cuatro Vientos, Santiago de Chile, 1974.

Ahora, cuando estoy atascado en una situación, cierro los ojos e imagino a Fritz allí sentado, frente a mí.

Siempre viste una guayabera con pantalón beige muy amplio y sandalias franciscanas. Su ropa está desaliñada, su barba, recortada con descuido y su poco pelo despeinado, caído sobre su frente. Tiene un cigarrillo encendido en la mano derecha y un pañuelo en la izquierda. Desde su silla me mira profundamente y yo me doy cuenta de que está dispuesto a trabajar conmigo.

Ahora, cuando estoy atascado en una situación y necesito de un terapeuta, recurro a Fritz...

(Tonterías de terapeuta, ¿no?)

CARTA 15

Queridísima amiga:

Me he inventado un ejercicio gestáltico: imagino que soy una cámara fotográfica.

* * *

Me cuesta describirme. Soy una cámara con una forma especial. Claro: soy única. Hay muchas que se me parecen, pero ninguna como yo.

Estoy totalmente equipada para cumplir mi objetivo: retratar *este* instante de lo que está sucediendo.

Este instante.

El instante anterior ya pasó y el próximo todavía no ha llegado; ambos están fuera de mi alcance...

... y me gusta que sea así.

Para ser una buena cámara, lo importante es conseguir una buena imagen de la realidad.

El mecanismo es el siguiente:

Primero busco aquello que me llama la atención.

Lo pongo frente a mí.

Mido la distancia que hay entre eso y yo.

Elijo una distancia útil. No siempre la distancia que elijo es la misma. Me acerco más a algunas cosas, de otras me mantengo siempre bastante lejos.

Luego, con suavidad —porque mi mecanismo es muy suave—, incorporo lo exterior a mi interior.

Tengo una película muy sensible y puedo sacar muchas fotos. Si bien el carrete de película es casi interminable, mi vida útil como cámara no. Llegará un momento en que mi existencia terminará.

Pensar en eso no me angustia, es parte de mi ser como cámara.

Mientras tanto, me importa ser cada vez más fiel a lo que veo. Es cierto: mi imagen de lo exterior nunca será «perfecta» pero, en realidad, tampoco me importa que lo sea.

Parte de mi equipo es un grupo de lentes y filtros que aumentan mis posibilidades.

Hay cosas que los filtros dejan pasar y cosas que no. Esto puede ser muy útil. Por ejemplo, impiden que entren cosas dañinas (como un estímulo demasiado poderoso). Permiten también teñir mi impresión de un tono específico (ver todo rosa, ver todo azul, ver todo gris), según mi estado de ánimo.

¡Es genial! Pero, si olvido que veo las cosas así debido al filtro, también puede ser peligroso.

Las lentes me sirven para aumentar o disminuir mi campo perceptivo. Con una de ellas puedo ver el pequeño detalle de las cosas; con otra tengo una visión panorámica y global de los sucesos. Cuando utilizo la lente adecuada a mi intención, también todo sale bien.

Cada hecho requiere un tiempo diferente para ser registrado. Por eso, una de mis regulaciones es la del tiempo de exposición. Todos los procesos implican tiempo, y éste depende de la velocidad de los hechos, de su intensidad y de mi interés. Cuando algo implica mucho tiempo, recurro a un elemento que llevo conmigo: un trípode. Éste me permite esperar con comodidad, sin apurarme, sin ansiedad, sin riesgo de retratar lo equivocado, a que suceda lo que espero.

Cuando estoy paseando, sin expectativas, sin objetivos y con la lente al descubierto, puede suceder que el disparador automático se me conecte. De repente siento: «¡Clic!». Y, sólo después, me doy cuenta de lo que he incorporado.

Estas fotos suelen ser las mejores: nada programado o intencional, nada voluntario. Sólo el «¡clic!» imprevisto y espontáneo.

Casi olvido algo importante. Tengo una tapa. Cuando me la pongo, el mundo desaparece y estoy en contacto sólo conmigo. Es muy útil para alejarme un poco de lo de fuera y también para descansar.

Es muy importante tener mucho cuidado en correr la película después de cada foto. ¡Ésta es una limitación que hay que tener en cuenta siempre!

Sólo puedo sacar una foto cada vez.

Cualquier intento de incorporar dos situaciones juntas producirá una superposición (imagen confusa) o una foto velada (falta de imagen).

Por suerte, últimamente he logrado incorporarme un dispositivo de seguridad que permite que sólo después de haber terminado el proceso en una situación puede empezar otra.

Este dispositivo es de gran ayuda, pero yo prefiero tener presente siempre el límite por mí misma.

No puedo ocuparme de más de una cosa a la vez.

* * *

Eso, eso...

> *No puedo ocuparme de más
> de una cosa a la vez.*

CARTA 16

Claudia:

No hay traducción para el término «Gestalt».

En alemán puede querer decir «forma» o «conjunto». Para nosotros, es algo así como una palabra compuesta que significa «figura-fondo».

Como te decía cuando era una cámara fotográfica, sólo podemos ocuparnos de una cosa a la vez. Esta cosa es la «figura». El resto, todo el resto, es el «fondo» de eso que me ocupa en este momento.

De instante en instante, algo desde el fondo pasa a primer plano y se transforma en figura, al tiempo que aquélla se resuelve o es devuelta al fondo.

De hecho, estas dos formas son las únicas que podemos usar para pasar de una figura a otra. La devuelvo al fondo o la resuelvo.

Una de las expresiones gráficas más claras de este fenómeno es la de los perfiles y la copa (atribuidos a Dalí). Cada uno puede ver la copa en negro (sobre fondo blanco) o los perfiles en blanco (sobre fondo negro), pero nadie puede ver las dos figuras a la vez. Está claro, ¿no?

Un ejemplo práctico (y que, por otra parte, es el que July me dio a mí), podría ser el siguiente: me estoy ocupando de una interesante conversación contigo. De pronto, siento tensión en mi vejiga, lo que identifico con mis ganas de hacer pis.

No quiero interrumpir mi conversación y, entonces, por un momento, consigo mandar mis ganas de hacer pis de vuelta al fondo y mantener esta conversación como figura.

Sin embargo, si la conversación se prolonga, llegará un momento en que la necesidad de hacer pis se impondrá y ya no podré devolverla al fondo.

La única posibilidad que tengo para poder atender la conversación es suspenderla por unos minutos para ir al baño, y continuarla luego. De lo contrario, no podré estar en ninguna de las dos cosas: ni contigo ni con mi pis.

Estar interrumpido es hallarse en una situación en la que dos figuras (o más) compiten por ser resueltas. Dos contenidos se desplazan mutuamente, consiguiendo, paradójicamente, permanecer irresueltos.

Interrumpir, paradójicamente, no es hacerte esperar unos minutos; interrumpir es seguir conversando contigo y estar pendiente de otra cosa.

Para la Gestalt, este tema de las interrupciones, junto con su derivación obvia, las situaciones inconclusas, son el punto de partida fundamental de la tarea terapéutica: conectar en cada momento con el aquí y el ahora.

Este no es un concepto nuevo, ni tan siquiera «gestáltico». En 1927, un investigador llamado Zaigernik realizó un experimento que luego sería confirmado por otros científicos del área de la conducta.

Zaigernik tomó una muestra de la población al azar (incluidos niños, adolescentes y ancianos de ambos sexos). Dijo a los sujetos que les iba a proporcionar una serie de tareas (veinte) que debían completar, y que cada una tenía un límite estricto de tiempo. Las tareas consistían en solucionar problemas matemáticos, ensartar cuentas, copiar figuras, y construir objetos con cubos y otros materiales.

Siguiendo su plan, encargó los trabajos y dio las consignas correspondientes una a una. Sin importar la velocidad a la que trabajaran, se permitía a los sujetos terminar solamente la mitad de las tareas. Los sujetos eran interrumpidos antes de que terminaran la otra mitad, diciéndoles que el tiempo asignado para concluirlas había expirado. El verdadero experimento comenzaba aquí. Una vez completadas o interrumpidas las veinte labores, se les pedía que hicieran una lista de las tareas en las que habían trabajado.

Resultado: como promedio, los sujetos recordaban el doble de faenas incompletas que aquellas que se les había permitido terminar.

Muchos sujetos pedían al científico las tareas inconclusas (aún sabiendo que el experimento había terminado) para acabarlas. Y, es más, en algunos casos, cuando se les dejaba solos en la mesa de trabajo, revisaban entre los papeles los trabajos inconclusos, e incluso registraban el escritorio del científico en su busca para poder terminarlos.

El hecho de recordar mejor los cometidos incompletos que los completos, conocido desde entonces como *efecto Zaigernik*, se interpretó en aquel momento como la prueba de que existía un sistema de *energía motivacional* al servicio de una tarea cuando ésta se comienza y que, por supuesto, sólo se agota si el trabajo se concluye. En caso contrario, permanece como energía flotante y no disponible para otros cometidos.

Desde mi propia manera de comprender el efecto Zaigernik, éste es el más claro ejemplo de cómo las situaciones inconclusas, si bien pueden ser postergadas y enviadas al fondo de nuestra conciencia, quedan allí durante algún tiempo, pero antes o después pugnarán por hacerse figuras que reclamarán resolución.

Algunos años después, seguidores de Zaigernik continuaron el experimento de la siguiente forma.

En un nuevo test, volvían a dar a los examinados las pruebas no resueltas. Una vez más, dejaban al sujeto concluir el cincuenta por ciento de ellas (cinco), interrumpiéndolos en las otras cinco. Entonces se les volvía a preguntar en qué tareas habían trabajado, y se comprobaba (otra vez) que las pruebas no concluidas eran doblemente recordadas en relación a las demás. Y un dato más: estas últimas pruebas, primero interrumpidas y después concluidas, no eran más recordadas que las que se habían terminado en el primer intento (cosa de brujas, ¿no?).

Exagerando: si infinitas situaciones pugnan por ser resueltas desde mi fondo, no podré concentrarme en ninguna figura y mi capacidad de conexión con el aquí y el ahora será nula.

Hace pocas semanas, un viernes, alrededor de las cuatro de la tarde, sufrí un fuerte dolor abdominal, me sentí mareado y con un repentino cansancio (un médico habría dicho que se trataba de una indigestión).

El caso es que no me sentí en condiciones de atender a los pacientes que tenían hora concertada conmigo, en especial por mi falta de ganas de atenderlos. Escribí una nota que decía: «Hoy no voy a atender ningún paciente en todo el día. Lamento no haber podido avisarles antes».

Y dejé la nota pinchada en la puerta antes de irme a casa.

Algunos de mis pacientes no preguntaron; otros preguntaron y les dije que no estaba en condiciones para poder atenderles como a mí me gustaría, dado que había cosas que me estaban interrumpiendo. Ema, una de mis pacientes, al recibir esa respuesta se levantó, se acercó, me dio un beso y me dijo: «¡Gracias!».

Yo me sorprendí. Ella volvió a su asiento y me dijo: «Doctor, ésto me confirma todavía más que cuando usted está, ¡está!».

Cada conjunto de una figura y un fondo es una Gestalt.

Cuando una situación se hace figura es para reclamar una solución. Cuando la postergo (como en el ejemplo del pis), tengo presente que en algún momento la resolveré y que, si no lo hago, aquella situación no resuelta se me impondrá cada vez, interrumpiendo el devenir natural de los hechos en ese momento.

En cambio, si consigo resolver cada figura cuando aparece, si consigo *cerrar* esa Gestalt que estaba abierta en la figura que reclamaba solución, si consigo ocuparme de instante en instante de la figura, entonces, en el momento en que la figura se resuelve, y antes de que otra figura (desde el fondo) ocupe el lugar, en ese momento consigo la armonía total, la absoluta paz interior, el estado de Satori.

En nosotros, los occidentales, este estado dura un instante, porque al momento siguiente algo del fondo se hace figura, y el proceso recomienza.

Algunos orientales consiguen ese estado durante días o durante semanas.

Hasta que alcancemos esa posibilidad (cosa que dudo), deberíamos intentar resolver cada vez más situaciones cuando surjan, y recuperar una y otra vez la armonía entre fuera-dentro y entre yo - yo mismo.

No te interrumpas... Date permiso... Date tiempo... Date lugar... Date todo...

Finalmente, tú eres, para ti, el centro del mundo en el que vives, así como yo soy, para mí, el centro del mundo en el que yo vivo.

CARTA 17

¡Sí! Suena egocéntrico.

Lo es. ¡Lo es!

Pero, ¿en qué mundo vivimos?

¿Vivimos acaso en un mundo constituido por las cosas de fuera? ¿Un mundo hecho de aquello que perciben mis sentidos allá en el exterior?

Aparentemente es así. Sin embargo, si yo muriera hoy, ¿qué pasaría con esas cosas de fuera, esas cosas del mundo?

Es evidente que no seguirían siendo «las mismas cosas»: mis zapatos ya no serían mis zapatos, mi cuerpo no seguiría siendo mi cuerpo, estas cartas cambiarían de significado, mis hijos serían diferentes... En resumen: *mi* mundo desaparecería si yo desapareciera.

¡Atención! No *el* mundo, sino *mi* mundo.

Vuelvo pues a mi pregunta: ¿Vivimos en el mundo de las cosas de fuera o vivimos en el limitado y grandioso mundo de mis cosas, **mi mundo**?

¿Cómo no sentirme el centro de este universo en el que vivo si toda su existencia depende de la mía? ¿Cómo sentir diferente si todas las líneas pasan por mi centro? ¿Cómo podría ser de otra manera si todos los hechos me incluyen de alguna manera?

No sería bueno que te confundieras. Esto no significa creerse el centro del mundo. Sería terrible para ambos que, cuando nos encontremos, yo pretendiera ser el centro de tu mundo o, peor aún, te cediera el lugar de ser el centro del mío... ¡Ah, no!

> Cuando tú y yo nos encontremos
> seremos dos mundos que se encuentran,
> seremos dos universos en contacto.
> Tú, un universo con centro en ti
> y yo, un universo con centro en mí.
> ¡Será maravilloso!
> Cuando tú y yo nos encontremos...

CARTA 18

Claudia:

Son, aproximadamente, las tres de la madrugada... Acabo de despertarme: mi hija se quejaba y me levanté para atenderla.

Al volver a mi cama, «el sueño» se había ido. Di dos o tres vueltas hasta confirmar que no iba a volver a dormirme y luego recordé: «Es el sueño el que trae el cerrar los ojos y *no* cerrar los ojos lo que trae el sueño».

Así que me levanté.

Estoy en la cocina de nuestra casa de veraneo. Escucho el rumor del mar... Salgo a la puerta. Es noche cerrada todavía. Estoy a escasos cien metros de la playa...

Hacia mi derecha está el faro: imponente, majestuoso, alto, soberbio... permanentemente regala dos haces de luz que bañan la fachada de la casa, mi pequeño jardín, las casas de enfrente, y se pierden después en el mar...

Entro. Caliento agua, quiero tomar mate... Acerco la grabadora, la conecto, está puesta la cinta de música barroca...

Vivaldi. El mate. Tú. Ahora el *Adagio* de Albinoni. Otro mate. Yo conmigo. Quiero fumar menos. No quiero dejar de fumar, sólo fumar menos. ¿Menos que qué? ¿Menos que quién? Menos que yo hace un mes.

Hasta mis vacaciones fumaba entre cuarenta y cincuenta cigarrillos diarios y me hacía daño. Ahora fumo menos de veinte y me siento mejor. Quiero fumar menos, quizás cinco o seis cigarrillos al día.

Dirás: «¿Y a mí qué me importa?».

Diré: «¿Y a mí qué me importa lo que a ti te importe?».

Dirás: «¿Por qué me contestas una pregunta con otra pregunta?».

Diré: «¿Y por qué no?». (Chiste viejo, demasiado viejo...)

* * *

Ahora son las seis. Finalmente he decidido seguir con el mate en la playa y ver el amanecer desde allí.

Ha sido muy hermoso... MUY hermoso.

Hacía muchos años que no veía un amanecer en la playa. El sol rugiendo desde el mar y miles de gaviotas sobrevolando la orilla...

Y yo formando parte de todo el paisaje.

Me he sentido yo también hermoso, pleno, iluminado.

Me he sentido yo también cálido, silencioso, bello.

CARTA 19

Claudia:

¡Cuánto tiempo sin escribirte!

No tenía ganas...

¡¡Y me niego a escribirte sin ganas!!

Casi siempre puedo elegir entre cantidad y calidad. Creo que la cantidad está relacionada con el esfuerzo.

Cuando trato,

cuando intento,

cuando me presiono,

cuando me obligo,

cuando me impongo... Entonces te doy más, quizás mucho más, pero no te doy mejor.

Lo mejor de mí,

lo más bello de mí,

lo más constructivo de mí...

es lo que quiero darte,

lo que me surge sin esfuerzo.

Porque la calidad está en relación con el deseo.

Debido a alguna trampa de nuestra educación, tendemos a creer que la cantidad se transformará en calidad.

A veces, cuando sentimos insatisfacción, exigimos *más* y,

en realidad, queremos *mejor*. No nos damos cuenta de que la respuesta del otro a mi exigencia no puede ser *mejor*. Su respuesta sólo puede ser *más*.

Cuando me pongo necio exijo que me prestes *más atención*, que te ocupes *más* de mí, que me des *más* cosas, que me dediques *más* tiempo, que me quieras *más*... ¡Que me quieras más! ¡Como si tú pudieras hacer algo para quererme más!

En última instancia, cuando me pongo necio, exijo.

¡Exigir! Hay dos maneras de exigir: una es explícita y conserva, por lo menos, la virtud de ser sincera; la otra es turbia y subyacente.

Ninguna de las dos se parece a *pedir*.

Pedir es enunciar mi deseo con claridad y permitirte decir sí o no, darte la oportunidad de elegir.

En la exigencia, en cambio, no acepto un *no* como respuesta. Esto que yo quiero es lo que tienes que hacer o lo que corresponde que hagas.

Dentro de mí yo ya he decidido (¿?) que debes decirme que sí.

La más cruel y hostil de mis exigencias es aquella en la que ni siquiera te digo lo que quiero. Lo que espero de ti ahora es titánico.

Primero tienes que adivinar qué es lo que estoy esperando y, después, por supuesto, dármelo.

La exigencia aquí es implícita. Yo sólo sugiero sutilmente mi expectativa y descanso con todo mi peso sobre ti...

Si tú adivinas, yo aceptaré graciosamente lo que *desde ti* decidiste darme. Si no adivinas, entonces siempre tendré a mano el reproche que me permitirá decirte: «Podrías haberte dado cuenta».

Aprender a pedir es uno de los grandes desafíos de ser persona.

No todo el mundo sabe pedir. Conozco a quienes jamás han pedido nada o, «peor dicho», a quienes jamás *han podido* pedir nada.

Ellos sienten que pedir es ponerse en manos del otro. No pueden aceptar que no son autosuficientes. Temen sus propias debilidades y, sobre todo, cualquier rasgo que implique dependencia los aterra.

Muchos de ellos se ufanan de no pedir nada a nadie. Pero si buceas un poco en su historia personal, en sus conductas habituales, en sus relaciones más cercanas, acabas encontrando siempre lo mismo: *exigencias veladas*. Y, detrás de ellas, más exigencias.

Lo mejor de mí que puedo darte
es lo que quiero darte.
Lo mejor de ti que puedes darme
es lo que quieres darme.
No quiero **lo más**.
Quiero **lo mejor**.

CARTA 20

Cierro los ojos
y vuelo...
Aparezco donde tú estás.
Te veo.
Me acerco.
Te recorro con mi mirada.
Más cerca.
Te acaricio.
Siento tu piel.
Tus manos frías (hoy están frías).
Te huelo.
Mis labios rozan tu frente.
Y tú ni te das cuenta.
O tal vez sí.
Quizás en este momento
estás pensando en mí
sin saber por qué.

CARTA 21

Claudia... No comprendo qué me quieres decir con que «has perdido el tiempo».

«Perder» el tiempo, «ganar» tiempo, «tener» tiempo... Nunca he entendido bien esas frases.

Berne dice que hay seis maneras de estructurar el tiempo (y sólo seis) y que, además, todos tenemos «hambre» de tiempo estructurado.

Yo no coincido con la idea del hambre, de la necesidad de estructurar el tiempo. O, mejor, más que no coincidir es que no creo que sea hambre, creo que es un hábito, una pauta cultural.

Intentan hacernos creer que necesitamos estructurar el tiempo, saber qué vamos a hacer con él.

Sin embargo, el planteamiento de Berne sobre las diferentes maneras de usar el tiempo puede ser útil para incorporar un «darme cuenta» de *cómo* uso mi tiempo.

No *el* tiempo, sino *mi* tiempo.

Las seis maneras de Berne son:

1) La intimidad.
2) Los juegos de vida.
3) La actividad.
4) Los pasatiempos.

5) Los ritos.
6) El aislamiento.

Es como una escalera: el último peldaño es el punto de contacto real con el otro.

Intimar no tiene nada que ver con el vínculo de pareja. Al decir *intimidad*, Berne se refiere a cualquier relación entre dos seres que son auténticamente libres y permiten que el otro sea auténticamente libre.

Intimar deriva de «in-timo». El timo es una glándula que se encuentra dentro del tórax de los niños pequeños, muy cerca del corazón, y que tiene su propio ciclo vital, atrofiándose a medida que el niño crece. En la pubertad ya no existe.

Intimar es sentir a alguien dentro de mi pecho, cerca de mi corazón, dentro de mí.

Los *juegos* son las secuencias repetidas a través de las cuales me relaciono con otro, creyendo que intimo.

Son intercambios ulteriores (tienen un mensaje encubierto, una transacción subyacente) y se denominan *juegos* porque tienen jugadores, reglas, comienzo, desarrollo, fin, ganadores y repartos de premios.

Eric Berne escribió todo un libro listando los juegos que jugamos (*Juegos en que participamos**), que yo creo que vale la pena leer.

Como ejemplo de juego, vaya el del «Triángulo de Karpman».

Este juego es para tres jugadores.

---

* Diana, México D.F., 1986.

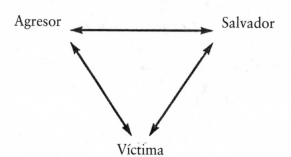

Agresor ⟷ Salvador

Víctima

La secuencia es bien conocida: el agresor daña a la víctima y el salvador trata de evitarlo.

Todo esto es aparente, claro. Porque si realmente lo salvara, o si el agresor realmente eliminara a la víctima, el juego terminaría. Pero ninguno —repito, NINGUNO— de los jugadores quiere dejar de jugar.

Esta continuidad se consigue de dos formas: una es la de dos jugadores con roles estáticos —por ejemplo, un agresor y una víctima— que buscan nuevos actores para desempeñar el tercer papel, necesario para la situación dramática.

Cuando el salvador se cansa, se rinde o se va de vacaciones, aquellos dos buscan otro actor.

La otra forma de jugar es mucho más sutil y requiere de buenos y dúctiles jugadores: consiste en la permanente rotación de papeles. Nadie se aburre y se puede llegar a niveles «profesionales».

Se me ocurre un ejemplo.

El niño está en uno de esos días pesados. Llora todo el tiempo, se caga encima, no se conforma con nada... Y cuando la madre se altera, el niño empieza a romper cosas. La madre se declara impotente y espera la llegada del padre: «¡Ya verás cuando llegue Papá!».

Comienzo del juego

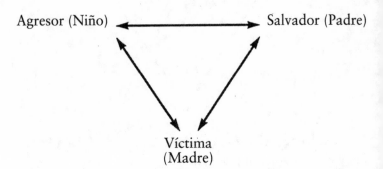

Agresor (Niño) ⟷ Salvador (Padre)

Víctima
(Madre)

Cuando llega el padre, la madre le cuenta lo ocurrido y le exige que haga «algo». «¡Porque así no se puede seguir!»

El padre pega al niño. El niño llora «desconsoladamente». La madre se acerca a «consolarlo»: «Bueno, bueno, pequeño. Ya ha pasado».

Primera rotación

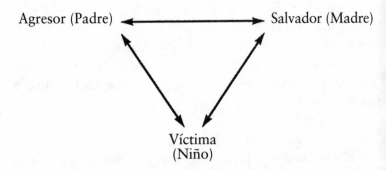

Agresor (Padre) ⟷ Salvador (Madre)

Víctima
(Niño)

El padre se siente estafado y desautorizado. Entonces se pone firme y exige que continúe el castigo. La madre le dice que es un bruto y un sádico, y en una crisis nerviosa empieza a tirar platos. El niño se acerca al padre y lo lleva a su habitación.

Segunda rotación

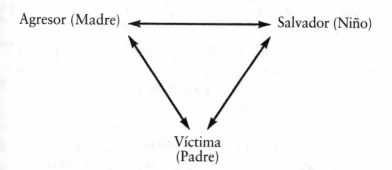

Agresor (Madre) ⟷ Salvador (Niño)

Víctima
(Padre)

Así, el juego continúa hasta agotar todas las rotaciones posible, para luego volver a empezar por la primera.

Rebuscado, ¿verdad?

Quiero aclararte que cualquier parecido entre la secuencia de este juego y alguna situación de la política internacional es mera coincidencia.

La *actividad* es el trabajo: la producción, la tarea laboral, sea remunerada o no.

No todos tienen la suerte de trabajar en algo que les dé placer y les permita ejercer la capacidad de intimar desde la actividad.

Para aquellos que hemos podido elegir una profesión como la mía, por ejemplo, una tarea que se ejerce sin esfuerzo, disfrutándola, que enriquece y que, lejos de cansar, descansa, todo es más fácil.

Para los que no han podido escoger, hay dos posibilidades: elegir cambiar de trabajo —a determinado precio— o reelegir esta misma tarea, dedicándole estrictamente el tiempo que esa actividad requiere.

Cuando protesto por mi trabajo, *antes* de mi trabajo, *durante* mi trabajo y *después* de mi trabajo; o cuando entro en la carrera económica y vivo ocupado en ganar más y más dinero, entonces mi trabajo interrumpe mi intimidad y monopoliza mi tiempo.

Cuentan que un señor llegó a una estación de tren, en un pequeño pueblecito. Como llevaba consigo tres pesadas maletas, trató de encontrar un maletero que le ayudara a llevarlas al hotel, que estaba a tres calles de allí.

Preguntó al jefe de estación y éste le dijo que buscara a Juancho, a quien encontraría quizás en la plaza de enfrente. El señor cargó sus maletas hasta la plaza y, allí, tendido al sol sobre un banco, encontró a un barbudo y desaliñado lugareño, que supuso que era Juancho.

—¿Juancho?

—Sí... ¿Eh...? —dijo el hombre, sin moverse.

—¿Usted es Juancho?

—Sí, señor —contestó sin moverse.

—¿Usted es el maletero?

—¡Ajá! —sin moverse.

—Usted debería estar en la estación y no aquí, en la plaza.

—¿Y para qué?

—¿Cómo que para qué? Estando allí encontraría al menos diez veces más pasajeros que estando aquí.

—¿Y para qué quiero diez veces más pasajeros?

—¡Para ganar más dinero!

—¿Y para qué?

—¡Pero hombre! Para comprar una moto, por ejemplo.

—¿Y para qué?

—Para llevar las maletas en un remolque con la moto.

—¿Y para qué?

—Para hacer más viajes en menos tiempo.

—¿Y para qué?

—Para ganar más dinero y, con un poco de suerte, convertirse en un empresario de los transportes.

—¿Y para qué?

—¡Para ganar mucho dinero!

—¿Y para qué?

—Y, cuando tenga mucho dinero, podrá vivir sin trabajar y descansar todo lo que quiera.

—¿Y ahora que estoy haciendo? —contestó el hombre, abriendo un solo ojo.

Los *pasatiempos* son intercambios que hago con el mundo para «pasar el tiempo».

Berne dice que hay dos categorías de *pasatiempos*: la lúdica (ajedrez, naipes, tiro al blanco...) y la sofisticada, que se desarrolla verbalmente. Ejemplos: «¡Qué bonito coche! ¿De qué modelo es?»; «¿Dónde has comprado ese vestido?»; «¿Qué opinas del psicoanálisis?»; «¿Tú crees en Dios?», etcétera.

Para la Gestalt, los pasatiempos y los ritos se ejercen desde la capa más superficial de la personalidad y no comprometen para nada a la persona.

Los *ritos* son intercambios repetidos, secuenciales y previstos. Transacciones sin sorpresas.

Se usan para obtener la falsa seguridad que muchas veces creemos necesitar y otras tantas nos dicen, convencen o enseñan qué necesitamos.

Los ritos tienen diversas intensidades. Desde la religión, la «cultura», los aniversarios, los días de la madre, etcétera, hasta el sencillo rito del: «Hola, vecino. ¿Qué tal?».

Es importante crear comisiones que adiestren a los nuevos vecinos de cada barrio para que respondan adecuadamente a esa pregunta. En mi barrio, al menos, la respuesta adecuada a «Hola, ¿qué tal?» es:

—Hola, ¿qué tal?

En el caso del vecino más próximo puede responderse:

—Bien, ¿y usted?

En cuyo caso el diálogo debe continuar así:

—Bien, gracias.

¡Fin del encuentro!

Consejo: nunca se te ocurra contestar a tu vecino qué tal te va cuando te pregunta: «¿Qué tal te va?». Correrías el serio riesgo de no volver a ser saludada, y podrías llegar a ser expulsada del barrio.

Desde su propia visión, Leo Buscaglia —en su libro *Vivir, amar, aprender**— cuenta algo similar. Pregunta Buscaglia por qué la gente, cuando sube a un ascensor, se sitúa de cara a la puerta. Todos de pie con las manos pudorosamente alejadas de toda posibilidad de roce con los demás.

«Cuando yo entro en un ascensor, jamás giro hacia la puerta. En general, me sitúo frente a todos y los miro. A veces digo:

—¿No sería maravilloso que el ascensor se quedara atascado durante horas y nos diera tiempo para conocernos?

La respuesta es siempre la misma. En el siguiente piso, todo el mundo baja del ascensor gritando.

—¡Ahí hay un loco que dice que quiere que el ascensor se pare!»

En lo personal, confieso públicamente que tengo un ritual: *detesto los ritos*. Los detesto hasta tal punto que jamás hago regalos de cumpleaños (salvo a los niños, para quienes el cumpleaños tiene mucha importancia). Jamás recuerdo ningún aniversario. Hace muchos años que no profeso religión alguna, ni visito cementerios. He dejado de llevar la cuenta de los años que hace que...

Ser tan antirritualista es decididamente un rito.

* Plaza & Janés, Barcelona, 1989.

El *aislamiento*. Esta es la situación de puerta cerrada para con el mundo.

Aquí no hay intercambio con el medio.

También tiene dos alternativas: una que llamo *estar solo* y otra que llamo *sentirse solo*.

La diferencia es la medida en la cual soy suficiente compañía para mí mismo. Cuando me siento solo (aún cuando estoy rodeado de gente) no me acompaño conmigo, sino que siento la soledad dentro de mí. Estar solo, en cambio, puede ser también una elección. Puede ser una manera de estar más conmigo que nunca.

Cuando equiparé estos seis puntos con una escalera, quise decir que cada peldaño que descendemos nos aleja más de los demás, nos aleja de la posibilidad de intimar.

Cada contacto con el medio es un estímulo. El único escalón en el cual intercambio estímulos incondicionales es el de la intimidad.

Como dicen los transaccionales: «Incondicionales quiere decir que no se refieren a lo que hago, sino a lo que soy».

No es lo mismo decir: «Te has portado mal» (condicional). Que decir: «Eres malo» (incondicional). Ni decir: «¡Qué bien te ha salido eso!» (condicional). Que decir: «¡Qué hábil eres!» (incondicional).

Cuando me asusta el rechazo incondicional, cuando tengo miedo de lo que me darán *a cambio de lo que soy*, entonces huyo, juego o trabajo. Y, si no tengo suficiente, me refugio en los pasatiempos o en los ritos. Y, si sigue sin ser suficiente, me aíslo.

Lo contrario también es cierto.

Si rompo mi aislamiento, si termino con los ritos y los pasatiempos, si trabajo en la medida que quiero y si dejo de jugar a la vida, entonces llego al peldaño en el que quiero estar: *la intimidad*.

CARTA 22

Claudia:

¡Es cierto! Hay muchas cosas de las que he empezado a hablar, y he dicho que continuaría.

Tú cuentas con la ventaja de tener las cartas, con lo que podrás releerlas cuando quieras. SEGURO que encontrarás cosas inconclusas, cosas inadecuadas, cosas contradictorias y muchas cosas muy, muy locas.

Sería extraño que no fuera así porque... Yo soy inconcluso, inadecuado, contradictorio y muy, muy loco.

Esto de hablar de mi locura me atrae cada vez más.

La locura... ¿Qué es la locura?

«Un loco es alguien que lo ha perdido *todo* menos la razón.»

«La locura es el último de los mecanismos de defensa a nuestra disposición.»

Yo creo que la locura *no* es una manera «enferma» de ser, pensar y percibir. La locura es una manera *diferente* de ser, de pensar, de percibir y —¿por qué no?—, también de «sentir».

¡Eso es!

¡Una manera diferente!

Durante los años de mi especialización psiquiátrica aprendí a contactar con cientos de pacientes psicóticos (los «locos» del lenguaje popular). Hay un lugar muy especial reservado en mi memoria a algunos de aquellos pacientes.

Hoy, hablándote de las diferentes maneras de ser, recuerdo a Don Marcos... Siento que aquel episodio, el día que trajeron a Marcos a la Clínica Santa Mónica para internarlo, aquel episodio que he contado tantas veces, aquel episodio que mi amigo Héctor dice que es la mayor expresión de sabiduría, aquel episodio divide mi vida en un antes y un después.

Don Marcos tenía alrededor de sesenta y cinco o setenta años. La familia lo había llevado allí con un diagnóstico de psicosis maníaco depresiva (una ciclotimia como las nuestras, pero más desconectada de la realidad: episodios de gran depresión alternados con eufóricos períodos de excitación que, a veces, incluyen alucinaciones, conductas extrañas, delirios, etc.). La esposa me entregó el certificado del médico que indicaba el internamiento, mientras Don Marcos me miraba con una fabulosa y seductora sonrisa de abuelo de cuento.

Yo: «Bueno, Don Marcos. ¿Pasamos al consultorio y charlamos un rato?».

Don Marcos: «Sí, hijo».

(Y me siguió hasta la puerta del despacho. Nos sentamos.)

Yo: «Don Marcos, dígame. ¿Por qué le parece a usted que le han traído aquí?».

Don Marcos: «Mira, hijo, lo que pasa es que mi esposa y mis hijos no entienden. Ellos creen que estoy chiflado».

Yo: «¿Y por qué creen eso? ¿Qué ha hecho usted?».

Don Marcos: «Resulta que un día me encontré en el mercado a Doña Zulema, la vecina de enfrente. En la cola, me contó que se le había roto la radio y que no tenía dinero para arreglarla. Yo recordé que en casa había por lo menos *dos* radios. ¿Para qué se necesitan dos radios? ¿Se pueden escuchar dos radios a la vez? Así que le pedí a Doña Zulema que pasara por mi casa y le regalé la radio. ¡Me sentí fenomenal! Entonces salí a la calle y empecé a preguntar a la gente que pasaba quién necesitaba un jersey —porque yo tenía cinco—. Y, después, regalé un traje —yo nunca lo usaba—, varias corbatas, un poco de dinero, unos pares de pantuflas... Y cuando estaba a punto de llevarle el reloj de pulsera a un muchachito que lo necesitaba, mi familia se enfadó y no me dejó salir a la calle. Llamaron al médico, que me vino a ver y dijo que me trajeran aquí».

Yo: «¿Y usted sabe qué es aquí?».

Don Marcos: «Sí, claro, hijo. ¡Qué te crees! ¿Que soy idiota? Es una clínica».

Yo: «Bueno, Don Marcos. Su médico me pide que lo internemos por unos días, para estudiar si le está pasando algo. ¿Qué le parece la idea?».

Don Marcos: «Dime, ¿se puede jugar al mus?».

Yo: «Eso no lo sé, porque yo no juego».

Don Marcos: «Bueno, me quedo. Así por lo menos te enseño a jugar al mus».

Yo: «Bien. Entonces, ¿salimos a despedir a su familia?».

Don Marcos: «¡Muy bien!».

(Salimos. Al igual que antes, él me llevaba cogido del hombro, mientras empezaba a explicarme el juego del mus.)

Yo: «Bueno, Don Marcos. Despídase de su familia».

(Y, de repente, como si el mundo hubiera cambiado de blanco a negro, la cara de Don Marcos se transformó. Su sonrisa desapareció, la voz se le quebró y rompió a llorar con desesperación mientras tocaba la cara de sus hijos y de su esposa y les repetía: «Cuidaos, os voy a echar de menos, no dejéis de venir a visitarme», y no sé cuántos dolores más. Marcos apoyó su cabeza en mi hombro sin poder parar de llorar.)

Yo: «Señora, por favor, déjelo todo en mis manos. Váyase con sus hijos y llámeme si quiere dentro de un rato, para que yo le cuente si se ha tranquilizado. Pero ahora váyanse, así yo acompañaré a Don Marcos a su habitación».

(La familia le dio un beso más en la cabeza a Don Marcos mientras éste sólo podía articular unas confusas palabras y yo trataba de disimular mis propias lágrimas. Caminando hacia atrás, la familia llegó a la puerta de salida y se fue.

Don Marcos escuchó el «clic» que la puerta hizo al cerrarse y separó un poco la cabeza de mi hombro. Observó la puerta. Se secó las lágrimas con la manga de la camisa. Me miró, sonrió y me preguntó:

DON MARCOS: «¿He estado bien?».

Yo: (no entendía nada, no sabía nada, no podía hablar...)

DON MARCOS: «¿Sabes qué pasa, hijo? Hace una semana y media que me mandan a dormir y lloran más de dos horas hablando sobre "cómo va a sufrir cuando lo internen". Ellos esperaban que yo estuviera dolorido al separarme de ellos, y a mí, ¿qué me costaba?».

Cada vez que nos encontramos con alguien que contacta con las cosas de una manera distinta a la nuestra, a la mía, a la tuya... Entonces está loco. Si no piensa, actúa y cree como todos, es obvio que está loco. Loco como Colón, como Galileo, como Copérnico, como Jesús y, muy lejos de todos ellos, loco como yo.

Es cierto, hay:

Locuras agradables	y locuras espantosas.
Locuras amorosas	y locuras odiosas.
Locuras encantadoras	y locuras siniestras.

Sobre todo, hay *locuras enriquecedoras* y, tristemente, también hay *locuras que empobrecen*.

La mía... ¿Cuál es? ¡No lo sé!

                        Y, sin embargo, yo siento que...

a mí me enriquece...

a mi esposa la asusta...

a mis padres les confunde...

a mis amigos les encanta...

a mis hijos les divierte...

a mis pacientes les sirve...

a mis colegas les asombra.

¿Qué importa? En realidad, de *esta* locura, por lo menos, no quiero curarme.

«¡Qué importa!», dije. Nada es importante. Me gusta, lo quiero, lo detesto, me importa (dentro); pero fuera nada es importante o, lo que es lo mismo, todo es importante. Todo es igual de importante.

¿Cómo?

Por un lado, *ser* importante parece una cualidad del objeto, del hecho, de la situación. *Me* importa, es *mío*. Cuando me importa me integro, me comprometo.

Por otro lado, los conceptos de *todo* y *nada* son, respecto de este punto, equivalentes. Es tan indefinido el concepto de uno como de otro. En algún lugar de nosotros mismos, *todo* y *nada, todos* y *ninguno* son la misma cosa: una nebulosa indiferenciada que circunstancialmente me sirve para concretar lo que con seguridad no sé, no me atrevo o no quiero definir.

El otro día, Lidia me dijo:

—Desde que te conozco, cada vez te importan menos cosas.

Iba a decir que sí. Y, después, que no. Y, después, pensé *sí* y *no*. ¿Qué importa?

Lidia tiene razón.

Y, a la vez, no tiene razón.

Cada vez me importan menos cosas y, sin embargo...

Cada vez me importan más las cosas que me importan.
¿Cómo se entiende?
¿No se entiende?
¿O sí...?

¡Qué importa!

CARTA 23

Amada:

Te repito que *no*. Para nada. Yo no estoy en contra del psicoanálisis, siempre y cuando aceptes una restricción: estamos hablando de honestos y auténticos psicoanalistas, *no* de improvisados, *no* de gente pequeña. Estamos hablando de terapeutas que han *elegido* la técnica psicoanalítica.

Lo que creo es que, como otras técnicas de ayuda, tiene indicaciones específicas, indicaciones indiferentes y, por supuesto, tiene contraindicaciones.

Creo, además, que es una técnica antigua, que en la mayor parte de los casos ha sido mejorada por los nuevos aportes.

Alguien podría creer que digo esto por considerarme a mí mismo incapaz de ser psicoanalista. Bien, a ese alguien yo le contesto:

—¡Tiene razón!

Yo estoy seguro de que sería un pésimo psicoanalista. Alguna vez, mientras estaba en un grupo de estudio psicoanalítico, acosté a alguna de mis primeras víctimas —quiero decir, pacientes— en un diván... Nuestra última sesión fue aquel día que me dijo:

—Doctor... ¿Duerme?

Y ahí me desperté.

Creo que si sólo existiera el psicoanálisis, yo tendría dos caminos, y sólo dos:

1) Inventar la Gestalt.

2) Dedicarme a otra cosa —que, seguramente, no sería la medicina— (me relamo pensando en un taller de carpintería).

William Schultz dice: «Si a un terapeuta le incomoda mirar a la gente a los ojos, desarrollará una teoría que requiera situar al paciente fuera del campo visual; si se siente torpe cuando debe tomar la iniciativa, construirá una teoría que sólo demande al terapeuta responder; y, si se aburre con facilidad, adherirá una teoría que lleve a los sujetos a gritar, vociferar y pelear... (refiriéndose al psicoanálisis, la terapia rogeriana y la Gestalt)».

Es que la incapacidad bien usada es un excelente acicate para el progreso y la creatividad. El mismo Freud abrió su camino de investigador desde sus pocas habilidades como hipnotizador.

La mejor manera de avalar esto que te digo es contarte que, en más de una oportunidad, he sugerido a pacientes que recurrieran a un psicoanalista; y, en varias oportunidades, yo mismo indiqué la derivación.

Eric Berne tiene una frase en su libro que me parece genial:

¡CÚRESE PRIMERO Y PSICOANALÍCESE DESPUÉS!

Cuando, después de un camino recorrido juntos, un paciente que ha resuelto la mayor parte de sus conductas neuróticas, que se siente pleno, que no tiene urgencias, me comenta que tiene ganas de saber más de él mismo, que quiere indagar más profundamente en su interior y, a veces —¿por qué no?— quiere conocer los mecanismos de sus conductas, entonces le sugiero que vea a un psicoanalista y hago la derivación.

Otras veces, en la primera entrevista, o en la segunda, el paciente me dice que quiere saber el *por qué*, que quiere explicaciones para sus actitudes, que quiere rellenar los huecos que existen en su memoria... Cuando sucede esto, suelo decir a mi entrevistado que lo que él pide lo podrá encontrar en un tratamiento psicoanalítico.

A veces, él pregunta por qué no lo puedo ayudar yo con todo esto... Y, en general, suelo contestar que tengo seis razones: la primera, que no quiero; las otras cinco... ¿Qué importan?

CARTA 24

Claudia:

Hoy tengo ganas de trabajar un poco conmigo y parece que también tengo ganas de involucrarte.

Recuerdo los ejercicios del *darse cuenta* de John Stevens: *el darse cuenta del afuera y el darse cuenta del adentro...*

Fuera de mí... El césped, ese rosal, las flores amarillas, ese árbol...

Imagino que soy ese árbol...

Soy alto, frondoso, de un tono verde oscuro que resalta sobre el fondo más claro.

Estoy en la ladera de un campo... Más allá del campo, otros árboles, ninguno de mi especie. Desde donde estoy no veo otros como yo (supongo que debe haberlos... Quizás miles... A veces, me gustaría que alguno de ellos estuviera más cerca... Otras veces, debo reconocerlo, me gusta sentirme único).

Tengo un tronco fuerte y duro. ¡Es mi sostén! Me sirve para mantenerme erguido, pero no rígido. Mis ramas se expanden en el aire... Llenas de hojas, me permiten la comunicación plena por cada uno de mis poros...

En esta época del año estoy lleno de flores y frutos.

Ambos son expresiones de mi deseo de trascender y, seguramente, son parte de mis intentos seductores.

Me doy cuenta de que ostento con ellos tanto como con mi sobra... Una sombra densa, cobijadora y fresca, muy atractiva para casi todos los que pasan cerca y más aún para quienes requieren mi protección o cuidados...

Me doy cuenta también de que mis ramas tienen, además, miles de espinas. Éste es mi armamento defensivo; impide que los depredadores se lleven partes de mí, sin mi autorización.

Creo que, además, son el símbolo de mi maldad. ¡Claro! No soy del todo hermoso y bueno. Dentro de mí soy agresivo, oscuro, cerrado...

Todo esto es lo evidente. Bajo el nivel de lo evidente, me prolongo...

Unos pocos centímetros debajo de la tierra, mi tronco se divide en dos grandes ramas que se extienden hacia los lados y hacia abajo.

Mis raíces... Con ellas me nutro, de ellas depende mi alimentación y mi estabilidad. Nunca pude comprender cómo sobreviven esos seres humanos que a veces veo, sin raíces, tan inestables y tan frágiles por carecer de nutrientes...

Amo cada parte de mí mismo...

Desde la punta inferior de mis raíces hasta la última hoja de mi copa...

Amo mis flores y también amo mis espinas... Y, lo que más amo de ser árbol es darme cuenta, a cada instante...

¡De que estoy vivo!

CARTA 25

Claudia:

¡Finalmente ha sucedido! Hemos vendido el apartamento donde vivíamos y hemos comprado un chalet en las afueras de Buenos Aires.

Me parece increíble... Después de tantos años, acceder por fin a esa casa.

Nunca me había dado cuenta de qué era mi apartamento: 350 metros cúbicos ubicados en algún lugar del espacio, a unos quince metros del suelo.

Vivir en el aire...

Hoy me doy cuenta de que, durante años, no he tenido ni tierra ni cielo propios.

Todo ha sucedido como yo hubiera elegido que sucediera: visitamos aquella casa (un parque con casa, como dice Perla) y supe que aquello era lo que habíamos estado buscando. Casi con la sensación de que yo ya la conocía, hablé con el dueño:

—Me gusta la casa, quisiera comprarla.

—Es tuya.

—¡Espera! Yo tengo que vender mi apartamento.

—¿Cuánto tiempo necesitas?

—No sé. Quince días...

—Bueno, te doy un mes. Yo, durante ese mes, no buscaré otro comprador y te esperaré.

Pero no fue así. El apartamento tardó más de un mes en encontrar su nuevo dueño y el dueño de la casa nos esperó todo el tiempo; dijo que él quería que aquella casa fuera para nosotros.

Describiendo la casa a un amigo, le decía: «Es hermosa y muy grande; tiene diez metros de frente y cuarenta y cinco metros de fondo, pero para arriba y para abajo, ¡no tiene límites!».

CARTA 26

Así es, cariño.

También dejar una casa implica un duelo.

La palabra duelo, etimológicamente, está relacionada con el concepto de dolor; consiste en la elaboración que realizo internamente cada vez que me separo de alguien o de algo. Cuánto yo haya querido a ese algo determinará la intensidad y duración de ese duelo, pero no su existencia.

Siempre hay un duelo que hay que atravesar después de una separación.

Nuestra educación conspira contra la elaboración y aceptación de los duelos.

Recuerda los mensajes de nuestros padres y maestros ante nuestras pérdidas infantiles: «Bueno, ya ha pasado...»; «¡Basta de llorar!»; «No era tan importante»; «Ya tendrás otro»; «No pienses en eso», etcétera.

Tememos el duelo.

El dolor aparece como una terrible amenaza a nuestra integridad.

Y entonces, nos defendemos.

El intento más común es no comprometerse afectivamente con nada ni con nadie (o lo menos posible con los menos posibles), en la fantasía de que «si no quiero a nadie ni a nada, no me dolerá perder a nada ni a nadie».

Aviso:

NO FUNCIONA

No sólo no funciona porque este razonamiento me impide la vida, el contacto y la intimidad, sino además porque, como te dije, el duelo no depende de cuánto queramos aquello que perdemos.

El segundo intento es más terrible aún. Consiste en la velada decisión de no separarme NUNCA de NADA. Así acumulo cosas y relaciones que no finalizan jamás, que no se renuevan, que permanecen estáticas.

Colecciono libros que nunca leo, discos que nunca escucho, cajas y cajas de cartas que me escribieron personas que hace años que no veo, montones de armarios llenos de objetos que recuerdan momentos que quiero eternizar.

Barry Stevens dice: «Cuando yo tenía una familia, solía recorrer mi casa dos veces al año y detenerme unos minutos frente a cada objeto... Y toda cosa que no había sido usada o disfrutada en los últimos seis meses, había perdido el derecho de permanecer y era lanzada fuera de la casa...».

(¡Qué envidia!) La mayoría de nosotros tememos separarnos de las cosas porque nos asusta necesitarlas mañana.

La variante sutil de este modelo es tomar distancia de las cosas y de las personas, en lugar de separarme. Este modelo es bien conocido por aquellas parejas que no resisten la idea de separarse y tampoco pueden permanecer unidas. Entonces «dicen» que se separan.

El «dicen» entre comillas significa que esto es sólo lo aparente. En realidad, se siguen viendo tanto o más que antes; están pendientes de lo que el otro hace, dice, piensa, quiere.

Y, en muchos casos, salen juntos, terminando la noche en la cama.

El objetivo es claro: *no vivir* el duelo que implicaría una separación.

Cuando esto sucede así, con el tiempo se produce un vaivén en el que cada vez que uno de los dos intenta comenzar su duelo y separarse, el otro aparece para recordar, para corregir, para rectificar y para abortar el duelo.

Por último, hay un tercer mecanismo para huir de los duelos, que es, simplemente, *negarlos*.

Esta situación de pérdida, de separación, de muerte, simplemente, no existe.

«Esto que perdí, en algún lugar estará
y lo voy a encontrar.»

O...

«Él está muy confundido, volverá a mí.»

O...

«Alguien le ha estado llenando la cabeza,
pero no lo dice en serio.»

O...

«Sólo su cuerpo ha muerto,
su espíritu sigue conmigo...»

En esta última odiosa conducta evitadora, muchas veces mis colegas contribuyen a la negación.

Lo hacen cuando desvalorizan la pérdida.

Lo hacen cuando presionan para abortar el proceso.

Y, fundamentalmente, lo hacen cuando, en medio de un duelo normal, sensato, previsible y sano, medican con anti-depresivos a un paciente «para que salga de la crisis»...

Estas conductas negadoras postergan el duelo, pero no consiguen evitarlo.

Me importa vivir con toda plenitud los duelos por mis pérdidas, por mis cambios, por mis muertes.

Si no me puedo separar de aquello que hoy no está, no podré encontrarme libre para vincularme con lo que en este momento sí está aquí conmigo.

CARTA 27

Claudia:

Ya sabía que tu respuesta a la carta anterior iba a traer el tema de la pareja.

¿Será un conocimiento intuitivo sobre ti o será una proyección mía y de mis ganas de hablar sobre el tema?

El asunto de la pareja que no se separa me recuerda siempre la diferencia que suelo remarcar a mis pacientes cuando aparece el tema: no es lo mismo estar junto al otro que estar enganchado al otro.

Y esta diferencia es vital.

Juntos quiere decir próximos, en contacto, uno al lado del otro y, obviamente, aceptando la posibilidad de separación.

Enganchados no tiene nada que ver con eso. Enganchados es, como su nombre indica, trabados entre sí, como dos ganchos.

¿Y esto qué significa?

Significa que una parte de uno llena un hueco del otro, y viceversa.

Yo me hago cargo de tu lado estúpido a cambio de que tú aceptes hacerte cargo de mis peores cambios de humor. Mientras estemos juntos, yo seré el estúpido y tú el loco.

Pero ojo con separarnos: porque, si nos separamos, entonces tú deberás volver a ser tan estúpido como antes de conocerme y yo tan irresponsable como siempre.

La posibilidad de separarse no existe porque, al hacerlo, cada uno de los dos tendría que reasumir su propio agujero y llenarlo de sí mismo (cosa que, obviamente, no estaba dispuesto a hacer cuando aceptó el enganche).

Sólo estando juntos se puede intimar.

Sólo cuando me puedo separar tiene valor que estemos juntos.

Y relaciono todo esto con mi propia manera de ver la pareja.

Para mí, una pareja no son dos ni uno, sino tres.

Tres individuos diferentes: él, ella y la pareja.

Algunas parejas llevan adelante un proyecto de convivencia basado en la postura de *la pareja como uno*: van a todas partes juntos, trabajan en lo mismo, tienen parejas amigas, todo en unidad. ¡Todo! Y *todo* empieza a fracasar cuando se dan cuenta de que no consiguen inodoros de dos plazas. Y termina de fracasar cuando alguno de los dos (generalmente con terapia de por medio) comprueba que ha desaparecido como individuo y decide reasumirse como persona.

Hay parejas más «modernas» que intentan un planteamiento de *dos individuos*: Él y Ella. Donde cada uno aporta algo de sí a la relación, pero cuidando siempre su terreno y dosificando puntillosamente los momentos a compartir.

Éste puede ser un excelente modelo de relación, pero no es una pareja. Porque la pareja como tal no existe, carece de proyectos, de marcos referenciales. Este *individuo-pareja*, desde su no-existir, no crece, no se desarrolla.

Y, un día, el último de los muchos puentes que unían esas dos islas se cae. Y las islas vuelven a ser islas. Independientes, sí. Y también solitarias e incomunicadas.

Dejo para el final el planteamiento más sutil y seguramente el más frecuente, aunque seguramente también el menos explícito: «La pareja está compuesta por dos individuos. *Yo y la pareja*». ¿Qué tal? Macabro, ¿no? Y, lo peor de todo, es que hay relaciones en las cuales este planteamiento, hecho por uno de los miembros, es acatado por el otro, que vive en función de su pareja pero que carece (sólo él) de vida propia.

Cuando un terapeuta consigue mostrar a un paciente estas situaciones se gana la fama de «divorcista».

* * *

Toda esta perorata me sirve para tratar de comprender por qué es tan difícil la convivencia en pareja. *¡Se trata de compatibilizar los intereses de tres!*

Cuando la armonía entre los tres aparece, es hermoso... *Yo, ella y nosotros...*

¡Me emociona!

Asocio todo esto con un poema que escribí hace unos años.

> *En un momento soy yo, conmigo;*
> *apareces tú...*
> *Me relaciono, me comunico,*
> *te toco, te escucho, te huelo...*
> *Somos dos.*
> *Me acerco más, te siento, me fundo...*
> *Somos uno sin dejar de ser dos,*
> *somos tres,*
> *los tres vibrando en el mismo nivel...*

Y cuando somos tres, entonces...
Mis manos y las tuyas son mis manos,
y mis dos bocas,
y mi pene y mi vagina,
y mi barba y mis senos;
y mi orgasmo... Mi triple orgasmo...
El tuyo, el mío, el nuestro.

Es hermoso,
muy hermoso,
hacer el amor contigo.

CARTA 28

Claudia:

Creo que cada vez me pides cosas más difíciles.

El amor... ¿Qué es el amor?

Empecemos por lo obvio.

El amor es un sentimiento y, como tal, está, por supuesto, relacionado con el sentir... ¿Sentir qué?

No sin antes recordarte que no hay absolutos, te cuento que lo que más me gusta a mí identificar con el amor es el *regocijo por la simple existencia de otra persona*; o quizás debería decir *de lo amado* (persona o no).

Esto significa que amar es independiente de lo que *lo amado* haga, diga o tenga; que mi amor no depende de que *lo amado* esté a mi lado o se vaya; que cuando amo no me aferro, no manipulo, no presiono. Que amar, finalmente, es la aceptación total del otro.

Recuerdo ahora a Carl Rogers: «Cuando percibo tu aceptación total, entonces, y sólo entonces, puedo mostrarte mi yo más suave, mi yo más delicado, mi yo más amoroso y, sobre todo, sólo entonces, puedo mostrarte mi yo más vulnerable».

* * *

Todo lo anterior separa dentro de mí el amor de tres cosas que suelen confundirse con *amar*:

- Estar enamorado.
- Querer.
- Necesitar.

De *necesitar* hemos hablado, y te dije que era la imprescindibilidad de algo (como el oxígeno, ¿te acuerdas?). Y yo, personalmente, dudo que se pueda necesitar a alguien. Sí sé que a veces me autoconvenzo de que «necesito» a alguien. Y, sin embargo, también sé que me miento cuando así lo creo.

Siento que cuando «te necesito» dependo de ti para sobrevivir, te obligo implícitamente a hacerte cargo de mi afecto, desaparezco como persona e intento transformarte en alimento vital.

Querer, en cambio, sabe que no existe tal necesidad. Pero «querer» viene del latín *quarere*, y significa «tratar de obtener».

«Querer» es el deseo, el apetito.

«Querer» es *querer para mí.*

Si «te quiero» te estoy implicando en una suerte de pertenencia, en una petición, no en una exigencia de estar, de permanecer, de darme, de valorarme.

«Si te quiero, te recorto las alas y te dejo a mi lado para siempre; si te amo, disfruto viéndote crecer las alas y disfruto viéndote volar.»

La primera vez que escuché esto, lo leía un locutor en la radio. Siento todavía la misma envidia de que alguien pudiera ser tan claro que sentí aquel día.

Estar enamorado no tiene nada que ver con todo lo anterior porque, para mí, «estar enamorado» no es un sentimiento, sino una pasión.

Voy a intentar plantearlo gráficamente.

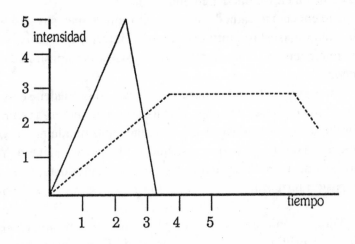

La línea llena corresponde a la pasión: un afecto muy intenso al cual se llega rápidamente (semanas, horas o quizás minutos) y que, también rápidamente, desaparece.

La línea punteada es el sentimiento, con su lento e insidioso crecimiento, su duradera meseta y su lento y paulatino decrecimiento. (¿Siempre? No lo sé.)

De *pasión* dice el Diccionario de la Real Academia: «1. Acción de padecer. 2. Lo contrario a la acción. 3. Estado pasivo en el sujeto. 4. Perturbación o afecto desordenado del ánimo».

Que la pasión es perturbadora, no tengo —personalmente— ninguna duda. ¡Pero atención! Esto no quiere decir desagradable.

De hecho, para mí —todavía, por lo menos—, enamorarme de personas y objetos es una de las cosas más bellas que me suceden...

Te diría que amo mis pasiones, en especial cuando me doy cuenta de que no las necesito ni las quiero conmigo de forma permanente. Simplemente, me alegra contactar cada vez con mi capacidad de enamorarme.

Me encuentro cada día con aquellos que temen sus pasiones, que se asustan tanto del desorden interior que jamás se permiten enamorarse y, mucho menos, odiar apasionadamente.

En el otro extremo conozco a quienes sólo pueden sentir desde sus efímeras pasiones, porque lo que temen es la profundidad del sentimiento. Se vinculan apasionadamente y, pocos días o meses después, se quejan de que su relación ya no es la de antes. Y la abandonan, desvalorizándola, porque la pasión terminó.

Últimamente creo que este personaje, «el apasionado», tiende a proliferar en nuestra sociedad. Todo sucede como si, en el mundo en que vivimos, algunos no encontrasen un sentido claro para sus vidas, escapando con el uso de drogas y estupefacientes hacia supuestos universos placenteros...

Pues bien, se puede ser adicto a drogas externas, como la marihuana, la cocaína, los ansiolíticos, las aspirinas, los hidratos de carbono (como los obesos), la nicotina o el alcohol. Y también se puede, creo yo, ser adicto a drogas endógenas.

En situaciones de peligro o de gran tensión, el organismo libera una gran cantidad de un poderoso estimulante. Esta sustancia, producida por el gigantesco laboratorio del cuerpo en las glándulas suprarrenales, prepara el organismo para la acción: es la adrenalina.

A diario veo en mi consultorio verdaderos adictos a la adrenalina. Estos individuos no pueden disfrutar nada que no suceda en medio de una situación límite. Viven su vida en el filo de la navaja; permanentemente producen y mantienen a su alrededor hechos extremos para poder vivenciarlos con intensidad.

No necesito aclararte que, como todas las adicciones, ésta también es peligrosa y, aunque no lo creas, puede ser mortal (infarto de miocardio, perforación por úlcera gástrica, asma, colitis ulcerosa, etc.). De paso, te confieso que, para mí, ésta es la etiología de muchos hipertiroidismos: adicción al efecto de la hormona tiroidea.

Como verás, a veces el médico que fui me invade... Volvamos.

* * *

Si yo pudiera elegir cómo sentir a las personas de mi alrededor, elegiría enamorarme con toda la intensidad de la que soy capaz.

Elegiría que, mientras esa pasión disminuye, debajo de ella creciera el sentimiento.

Elegiría que ni yo ni el otro nos asustáramos de la desaparición de la pasión y que supiésemos enfrentarnos con el cambio de intensidad por profundidad..

Elegiría que ese sentimiento fuera amor y no sólo querer.

Y, finalmente, elegiría que se diera la posibilidad de reenamorarme, de vez en cuando, de la persona que amo.

Mi querida amiga:

Me dices que lo que escribí sobre el amor te gustó, que te aclaró cosas, y añades que te resulta difícil darte cuenta de si eres amada o sólo querida o sólo necesitada...

En primer lugar, ¿por qué quieres saber con certeza lo que el otro siente?

Creo que todo es un intento de reasegurarte. Lo único válido, en todo caso, es lo que sientes tú. Pregúntate más bien si TE sientes querida, necesitada, amada, y sé fiel a ese sentir tuyo.

Imaginemos que alguien te quiere. Te quiere mucho pero tú no te sientes querida en absoluto. ¿Para qué te serviría su cariño?

Imaginemos ahora lo contrario, alguien que te quiere muy poco y tú te sientes absolutamente querida. ¿Te vas a separar de él por lo que dice que siente?

Siempre he pensado que la respuesta más hermosa a un «te quiero mucho» es «y yo me siento muy querido por ti».

Lo otro que dices respecto del ser demostrativo, en mi opinión, no tiene nada que ver con el sentir.

De hecho, son cosas diferentes: «hacer», «mostrar» y «demostrar».

Toma unos minutos para responderte estas preguntas antes de seguir leyendo:

1. ¿Qué es mostrar? ¿Para qué te muestro?
2. ¿Qué es demostrar? ¿Para qué te demuestro?

Con seguridad, habrás notado que:

«Mostrar» es hacer *algo evidente* para que tú lo *veas*.

«Demostrar», en cambio, es una actitud que intenta *probar algo* para que tú lo *creas*.

Todo esto significa que cuando «muestro», parto del prejuicio de que *no ves* y, cuando «demuestro» parto del prejuicio de que *no crees*.

Cuando mi relación contigo no tiene prejuicios, cuando soy auténticamente yo y permito que seas auténticamente tú, entonces no prejuzgo. Por lo tanto, no te muestro nada, no demuestro que te quiero. Simplemente, soy yo mismo y hago lo que siento, sin ocuparme de que lo veas o de que lo creas.

Y lo veo tanto así que, cuando me encuentro a mí mismo tratando de mostrar algo o queriendo demostrar lo que soy o lo que siento, me doy cuenta de que estoy manipulando, de que no me estoy siendo fiel, de que estoy condicionado y condicionando. Y, últimamente, cuando muestro y demuestro, me siento ridículo.

Tienes todo el derecho de no ver y, sobre todo, el derecho de no creer. ¿Quién soy yo para querer que tú veas o creas todo lo que yo veo o creo?

Si todos estos argumentos no fueran suficientes, me pregunto: ¿De dónde sé yo que no verías si no te mostrara? O, ¿no creerías si no lo demostrara?

Es evidente que la única manera es: Yo, en tu lugar, no hubiera visto; o, yo, en tu lugar, no creería...

¡Proyección! Pura proyección.

Porchia dice: «Si yo soy yo porque tú eres tú y tú eres tú porque yo soy yo, entonces ni yo soy yo ni tú eres tú. Pero si yo soy yo porque yo soy yo y tú eres tú porque tú eres tú, entonces, sí: tú eres tú y yo soy yo».

CARTA 30

Ay, Claudia:

Por fin me pides algo fácil.

El orgasmo no es nada más que la inevitable consecuencia de hacer el amor.

Por si no está claro:

LA INEVITABLE CONSECUENCIA DE HACER EL AMOR.

CARTA 31

Claudia:

No quiero correr, tampoco detenerme. Quiero caminar.

¿Qué diferencia hay entre correr y caminar?

¿Es velocidad?

No, estoy seguro de que no. Se puede caminar rápido y también se puede correr con lentitud.

¡No! No es eso.

Acabo de salir a la calle... He corrido y he caminado, rápida y lentamente. Entonces me he dado cuenta: cuando camino, siempre uno de mis pies está en contacto con el suelo. ¡Siempre! Cuando corro, hay un momento, un instante, en que estoy en el aire, sin ningún contacto con la tierra.

Esto me aclara por qué el riesgo de caer es mayor cuando corro.

No quiero correr, quiero caminar.

—¿Caminar? ¿Hacia dónde?

—Hacia adelante.

—¿Dónde es «adelante»?

—No lo sé. Adelante es hacia donde voy.

—¿Cómo? ¿Retroceder no existe?

—No. Hoy creo que no.

CARTA 32

Claudia:

Vuelve a tu niñez y déjame que te cuente un cuento o, mejor dicho, dos.

Ilusión

Había una vez un campesino gordo y feo
que se había enamorado (¡cómo no!)
de una princesa hermosa y rubia.
Un día, la princesa (vete a saber por qué)
le dio un beso al feo y gordo campesino...
Y, mágicamente, éste se transformó
en un esbelto y apuesto príncipe...
(Por lo menos, así lo veía ella.)
(Por lo menos, así se sentía él.)

El jazmín feo feo

Había una vez un jazmín que
se había enamorado de una dalia.
El jazmín era muy feo. La dalia

era muy lindo pero estaba enamo-
rada de un gladiolo. Un día
la dalia salió a pasear con el
gladiolo. El jazmín estaba
muy triste. El gladiolo era
muy lindo pero malo, el
jazmín era feo pero muy
bueno. Entonces la dalia se
cazo con el jazmín nadie
sabia porque la dalia eligió
al jazmín que era azqueroso.
Pero bibieron juntos y felices
muchos muchos años.
Moraleja: no importa lo de
afuera importa lo de adentro

Demián

El primero de estos cuentos es mío y lo escribí hace unos años.

El segundo lo escribió mi hijo cuando tenía ocho años, y está transcrito tal como fue escrito.

¡Ocho años! ¿Te das cuenta? ¡Ocho años!

¡Qué envidia!

Me llevó más de treinta años de mi vida, diez años de estudio, cuatro años de terapia y siglos de existencia descubrir esto que mi hijo resume en una frase a sus ocho años: «No importa lo de fuera, importa lo de dentro».

Hace unas semanas, en uno de los grupos, un paciente, Gerardo, comentó algo que había leído: que los hijos son como un enano subido a los hombros de un gigante. (Y es tan cierto...)

Pienso en mis hijos... ¡Cuánto los amo! Y recuerdo ahora: «Si te amo, disfruto viéndote crecer las alas y disfruto viéndote volar».

Demián y Claudia entran en esta habitación, se sientan en el suelo y me miran escribir.

Dejo de escribirte a ti... Les escribo a ellos.

Hijos...
Me gustaría ser vuestra plataforma de despegue,
me gustaría ser vuestro viento favorable,
me gustaría ser un espacio muy abierto
y, para qué negarlo,
me gustaría ser un compañero de vuelo.
Pero me doy cuenta
de que ninguno de vosotros me necesita para volar.
Lo único que vosotros realmente *necesitáis*
es teneros a vosotros mismos.
¡Con eso basta!

CARTA 33

Amadísima:

En una de las primeras cartas, te dije que una de las características de los neuróticos es la inmadurez. Y añadí que este concepto se relaciona con transferir el apoyo ambiental al autoapoyo.

Bien. ¿Qué es el autoapoyo?

John Stevens dice que cuando un hipnotizador consigue hacer entrar a alguien en trance hipnótico y le dice: «Ahora vas a sentir frío», el hipnotizado jerarquiza más la palabra del hipnotizador que sus propias sensaciones.

De alguna manera, todos vivimos hipnotizados.

Nos han repetido tantas veces las mismas cosas... Las hemos escuchado de nuestros padres, tíos, maestros y vecinos... Las hemos leído en libros y revistas... Hemos visto a nuestros seres más queridos acatar esas palabras, sin cuestionarlas jamás...

Y, finalmente, hemos quedado hipnotizados. Creemos más en esas palabras que en nuestro propio sentir.

Y, lo que es peor, estamos tan bien entrenados para este proceso que algunos de nosotros hemos conseguido autoabastecernos de mensajes hipnóticos. ¡Hemos conseguido autohipnotizarnos!

Autoapoyo tiene que ver con deshipnotizarse.

Autoapoyo es darme cuenta de que mis pies son suficientemente fuertes para aguantar mi peso.

Autoapoyo es conectar con mi sentir. («Abandona tu mente y vuelve a tus sentidos», decía Fritz.)

Autoapoyo es confiar en mí mismo por encima de todas las cosas.

Autoapoyo es abandonar definitivamente lo que yo llamo *conducta líquida.*

Conducta líquida surge de un paralelismo entre una propiedad física de los líquidos y una característica de la personalidad neurótica.

Un líquido no tiene forma: *se adapta a la forma del recipiente que lo contiene.*

Cuando funciono así, tratando de moldearme según lo que los demás me exigen, cuando me creo solamente la suma de las imágenes que los demás tienen de mí, cuando sólo intento responder a las expectativas de los demás, entonces tengo una conducta líquida.

—¿Qué quieres entonces? ¿Una «conducta pétrea»?

—¡No, no y no!

Quiero una conducta suficientemente sólida como para afirmarse por sí misma, y suficientemente elástica como para no ser estática y adecuarse a la realidad.

Diría que me gustaría tener una *conducta plástica.*

La sociedad ama las «conductas pétreas». Dicen: «¡Qué carácter más fuerte tiene ese hombre!» Y lo que yo escucho es: «Siempre reacciona igual frente a la misma situación». Claro, cómo no va a ser deseable que el otro sea así... A mí me viene estupendamente; él es previsible, puedo contar con su respuesta y reasegurarme que jamás «me defraudará».

¡Qué manipulación la de querer conductas pétreas en los demás! ¿No?

Cuando de verdad intimo contigo, entonces comprendo que tu conducta sea hoy una y mañana otra diferente. O, más aún... Ahora una y dentro de un instante la opuesta. (Difícil, ¿eh? Sí, muy difícil: me gustaría conseguirlo.)

Resulta que es diferente ser contradictorio que ser incoherente.

Soy contradictorio cuando digo hoy que sí y mañana que no. (Como me dijo una vez Alejandro: «*Hoy* se escribe con hache y *ayer* se escribía sin hache».)

En cambio, soy incoherente cuando aquí y ahora digo sí y hago no.

La contradicción es parte de mi salud, de mi actitud plástica, de mi capacidad de cambio, de mi posibilidad de modificarme a través del tiempo.

La incoherencia es parte de mi enfermedad, de mi propia falta de claridad; es un intento de trasladar mi confusión al otro; es un perro que se muerde la cola; es una disgregación de mi persona; es, finalmente, una falta de respeto hacia el otro y hacia mí mismo.

No hay que confundir ninguna de estas dos cosas, contradicción e incoherencia, con delirio.

¿Qué es un delirante?

Adjunto foto del susodicho.

CARTA 34

Claudia:

Acabo de terminar de leer por séptima vez *Palabras a mí mismo*,* de Hugh Prather.
Comentarios:

sí, sí, sí, sí, sí, SÍ, SÍ!!!

* Editorial Cuatrovientos, Santiago de Chile, 1997.

CARTA 35

Claudia:

Gracias por mandarme las copias de las cartas anteriores. ¡Qué placer! Hay multitud de cosas que me gustan mucho.

Entre nosotros... Me han gustado tanto, que por momentos he dudado de haberlas escrito yo... (Esto es grave. ¿Me estaré volviendo humilde? Lo dudo...)

Interesante punto el de la humildad.

Aunque detesto las metas, siento que nunca llegaré a ser humilde.

Cuando, desde fuera de mí, contemplo algunas de mis actitudes, me veo tan engreído, tan exigente, tan preciado de mí mismo...

El Diccionario de la Real Academia dice: «Humilde: bajo, de poca estatura».

No soy humilde.

Cuando me jacto de mi egoísmo, cuando siento que soy la persona más importante en el mundo (con dos hermosas excepciones, mis hijos), cuando me creo el centro de mi mundo, cuando busco todas las respuestas dentro de mí... No, no soy humilde.

¿Y los demás? ¿Los otros? ¿Los que quiero?

¿Acaso no hago cosas por ellos?

¡NO!

Siento que a veces me da placer complacerte, y entonces lo hago. Cuando te digo que es por ti, te miento. En realidad, *todo* es por mí; a mí me sirve elegir renunciar a lo que yo quiero para darte. ¡Qué egoísta...!

Sí.

Después de todo, si alguien me dice: «¡Egoísta!», ¿qué me está diciendo? Me está diciendo: «No pienses en ti, piensa en mí».

¿Quién es el egoísta?

Desde hace tres o cuatro mil años, el Talmud dice:

> *Si yo no pienso en mí, ¿quién lo hará?*
> *Y si pienso sólo en mí, ¿quién soy?*
> *Y si no es ahora, ¿cuándo?*

Hay tres clases de personas.

Una, la que, cuando tiene frío, regala toda su ropa de abrigo. Otra, la que, cuando siente frío, se pone su ropa de abrigo. Y una tercera que, cuando siente frío, enciende un fuego para calentarse a sí misma y a todos los que quieran disfrutar del calor.

La primera persona es suicida: se morirá de frío. La segunda es miserable: se morirá sola. La tercera es un ser humano normal, adulto y egoísta (enciende el fuego porque él tiene frío).

Yo quiero ser el que encienda miles de fuegos y, más aún, quiero ser el que enseñe a miles de seres humanos a encender fuegos.

Definitivamente, *no soy humilde.*

CARTA 36

Claudia:

Parece que el aprendizaje cultural consiste en hacernos creer...

... que mentir es malo.

... que trabajar es bueno.

... que ganar mucho dinero es lo mejor.

... que el sexo es malo (o moderadamente, a menos que sea «por amor»).

... que obedecer es bueno (si es sin pensar, mejor).

... que los comunistas (o los fascistas, o los árabes, o los negros) son malos (o son lo mejor si yo soy comunista, fascista, árabe o negro).

... que ser materialista es malo.

... que ser idealista es peor.

... que esperar el futuro sin esperanzas es lo malo.

... que ser bueno es bueno.

... que ser inteligente es de lo mejor.

... que el ocio es malo.

... que las serpientes son malas (o venenosas o peligrosas).

... que el orden es lo mejor.

... que la agresión es mala.

... que el hombre es un animal superior.

... que el autocontrol es lo mejor.

... que tener objetivos claros es bueno.

... que actuar por impulso es de lo peor.

... que lo mejor es programar.

... que las palomas son buenas y los cuervos son malos.

... que ser egoísta es malo.

... que amar es mejor que odiar.

... que estar triste es malo.

... que la muerte es lo peor.

... que el camino más fácil nunca es el mejor.

... que la fe es buena.

... que la locura es mala.

... que los extremos son malos.

... que ser un profesional es lo mejor...

... para ser amados.

CARTA 37

Claudia:

Es cierto, la carta anterior fue un golpe bajo.

A todo eso yo lo llamo «moral en latas». Aquello está bien, esto otro está mal... ¿Qué querrán decir bien y mal?

Suelo decir a mis pacientes que nunca he matado a nadie —y añado—, porque nunca he tenido un buen motivo.

¿Qué sería un buen motivo?

Entro en mi casa; un desconocido amenaza a mis hijos con un cuchillo en la garganta. Al verme, se abalanza sobre mí. Tomo a mi vez un arma cualquiera: otro cuchillo, un revólver, un palo, un cañón... ¡No importa! Lucho por mi vida y por la de mis hijos. En la lucha, lo mato. Ése es un buen motivo.

Entonces sigo: si puedo cuestionarme la infalibilidad del preconcepto de «no matar», ¿cómo no cuestionarme todo lo demás?

¿Y la ley? ¿Qué pasa con la ley?

Hablando con Antonio, abogado, sobre este tema, me hizo una aclaración que me pareció valiosísima: la ley no dice qué hacer o qué no hacer.

Tomemos un ejemplo: A estafa a B. La policía detiene a A

y un juez lo condena a seis meses de prisión o a pagar determinada cantidad de dinero como indemnización.

¡La ley no dice «no estafar»! La ley dice: «A aquel que estafe a otro, en ciertas condiciones, le corresponderá tal o cual pena». ¡Punto final para la ley!

Justamente, cuando la ley intenta transformarse en una moral es cuando distorsiona su función social, cuando encapsula al individuo, cuando masifica y anula a los habitantes de un país.

Sin embargo, la sociedad en que vivimos cree con firmeza en esta moral enlatada.

Tanto esfuerzo por crear estas pautas, ¿es un capricho de esta cultura?

No, creo que no.

Creo que esa manera de intentar regular la conducta de los individuos está avalada por un preconcepto «filosófico» también enlatado, que dice: «El hombre, en su esencia, es malo, un demonio, un monstruo incontrolable sometido a sus pasiones más ruines, destructivo y cruel».

Atención a los crédulos:

¡ES MENTIRA!

Yo creo firmemente que el hombre sin presiones, en verdadera libertad, percibiendo de los demás la aceptación de su persona, en la intimidad con los demás, deja salir su ser más cálido, más sincero, más amable, más humilde, más generoso, más comprometido, más honesto y, sobre todo, su ser más sensible y creador.

Es a partir de esta manera mía de ver al ser humano que no necesito inculcar una moral predeterminada en mi consultorio. Mi cliente no requiere de mí —aunque a veces él crea que sí lo hace— un juicio de valor sobre «el bien o el mal», sobre «lo correcto o lo incorrecto», sobre «lo justo o lo injusto».

Lo que él requiere, ya te lo dije, es un vínculo sano en el que poder expandirse, encontrarse y no separarse más de sí mismo.

Aquí está la diferencia entre un terapeuta y un sacerdote.

El sacerdote tiene una limitación: que está obligado a interponer en su función una determinada moral operacional que debe ser aceptada como patrón y medida.

El terapeuta, en cambio, parte —o sería bueno que partiera— de una postura abierta, desde un vacío, desde la ausencia de moral preconcebida, desde la realidad del paciente.

Relaciono todo esto con el psicoanálisis.

Me parece que una parte de la humanidad vive el psicoanálisis como una nueva religión.

Algunos psicoanalistas se ven a sí mismos como sacerdotes (ortodoxos, conservadores y hasta reformistas).

Las resistencias se parecen a la falta de fe, a la herejía; muchos pacientes psicoanalizados son como los fieles de una determinada secta, logia o creencia.

Lo que para las religiones clásicas era «pecado» ahora es «enfermedad». Lo que fue «prueba divina» hoy es «trauma». Lo que era «exorcismo» hoy es «catarsis».

En algunos momentos, el Diablo y el Ello inconsciente se parecen.

En esta nueva religión se reza tres o cuatro veces por semana en el sagrado templo simbolizado por el diván psicoanalítico, desde donde, por supuesto, no se puede ver al oficiante. Perdón: al terapeuta.

Se intenta conseguir así tomar contacto con lo inconsciente —etimológicamente, lo «no cognoscible»—, de la misma manera en que nuestros antepasados se extasiaban para entrar en contacto con «lo innombrable», «inaccesible» y divino: Dios.

Aviso a los incautos:

> La terapia no es un acto de fe.

CARTA 38

Claudia:

Hace tres semanas que no te escribo...

Que no me escribo...

Que no escribo...

Empezó el lunes 6 de julio.

De repente, un intenso dolor en el costado derecho: «Un desarreglo alimenticio», pensé. Y le resté importancia.

El dolor continuó allí, día tras día, semana tras semana...

Me empecé a sentir cansado, agobiado, mareado, débil.

El médico sugirió que podía ser un cuadro vesicular (¿cálculos?).

Al mes, había adelgazado seis kilos. Se me indicó una dieta y medicación y mejoré un poco.

El dolor disminuyó de intensidad, pero se mantuvo presente, permanentemente.

Yo me peleaba con él todo el tiempo, lo alejaba de mí un instante y, al siguiente, ¡allí estaba! Irradiándose a la espalda y a la ingle.

Me hice hacer una ecografía: «Vesícula acodada; hígado algo agrandado. No hay lesiones ostensibles». Diagnóstico aproximado: «Enteritis virósica». Tratamiento: «¡Esperar que pase!» Punto.

Estuve mal durante un mes más; adelgacé otros tres kilos y no tenía ganas de hacer nada...

Ayer nos sentamos a charlar «Yo» y «Mi Terapeuta».

—¿Qué te pasa?

—¡No lo sé!

—¿Qué sientes?

—Me encuentro mal y es diferente a todo lo que había sentido hasta ahora.

—¿Te duele?

—Muy poco, ahora. No es eso.

—¿Tienes miedo?

—En algún momento pensé que sí. Todos mis seres queridos sugerían que eso era lo que me pasaba. Creo que era lo que ellos sentían. No, no es miedo. Mira, nunca lo he sentido antes.

—Trata de aumentar tu darte cuenta, de contactar con tu sentir. Deja hablar a tu imaginación. ¡Ahora!

—Recuerdo a Inés cuando tuvo un aborto... Recuerdo a Cristina después de su separación... Recuerdo a Tito cuando lo conocí...

—¿Cuál es el punto en común entre ellos en esos momentos?

—Estaban deprimidos...

—¿Y bien?

—¡Eso es! Estoy deprimido. ¡Deprimido!

Es fantástico: justo ahora me doy cuenta de que nunca antes había estado deprimido. Real, auténtica y totalmente deprimido.

—¿Cómo es estar deprimido?

—Siento que estoy en un larguísimo viaje, solo. En el camino hay piedras inmensas y profundos abismos que me impiden el paso... Yo estoy absolutamente imposibilitado para actuar, no tengo fuerzas para levantar las piedras ni para saltar los precipicios... Hace siglos que recorro este camino... Estoy muy cansado, me cuestiono si vale la pena seguir andando. Quiero imaginarme el final del camino y lo único que consigo ver es un sendero que se angosta hasta llegar a un cartel. El cartel dice:

ÉSTE ES EL FINAL

¡Eso es todo!
Me digo que no es posible... ¡Debe haber algo más!
Miro al otro lado del cartel. Hay algo escrito.

REALMENTE ÉSTE ES EL FINAL

—¿Qué final?
—El final. El gran final.
—¿Es la muerte?
—Debe tener que ver con eso, pero no es dejar de respirar, o de caminar o de latir; es peor. Es dejar de sentir...
—Conecta con eso, no abandones esa sensación.
—Estoy en el camino. Me dejo estar, a ratos de pie, otros agachado, luego rodando hacia abajo y, cuanto más ruedo, más pequeño me hago... Dejo de rodar... Estoy boca abajo y siento el peso de todo sobre mi espalda. Todo el mundo, todo el universo está apoyado sobre mí y yo no tengo fuerzas para levantar una pluma...
—No hagas fuerza...
—Me aplasta... Me aplasta... Me agujerea... Me traspasa.
—Sigue...
—Tengo un gran agujero en el pecho. Se puede ver a través de él. Yo veo cómo se agranda el hueco. Soy más liviano. Floto. Estoy sin estar.

—Déjate flotar.

—Me dejo. De todas maneras, nada podría hacer para evitarlo.

—No se trata de que puedas o no evitarlo. Se trata de que respetes tu estado personal. Se trata de no oponerte a tu realidad de hoy. Se trata de no interrumpir un proceso en curso. Se trata de dejar salir esta depresión que, si está, lo mejor es que se manifieste y se agote para poder después pasar a tu siguiente momento.

—Sí...

CARTA 39

Claudia:

¿Te costó entender la carta anterior?

Bueno, éste también soy yo. Por lo menos ahora. Es increíble asistir a esta edad a una sensación totalmente nueva, de esta intensidad.

Te escucho preguntando:

—¿Ha terminado?

—Sí.

—¿Cómo has salido?

En realidad yo no he salido: la depresión se ha ido. Tengo plena conciencia de que no he hecho nada para salir. Sólo dejarme estar, como me aconsejaba Fritz.

Siento hoy (de regreso del viaje) que ha pasado algo importante, trascendente, valioso.

Me siento diferente a cuando todavía no había sucedido esto. Estoy más sereno, menos apurado.

Hoy siento que, por primera vez, soy capaz de comprender a mis pacientes cuando se deprimen. Antes sólo podía imaginar lo que sentían cuando estaban deprimidos. Ahora lo sé. Puedo contactar con ellos desde el recuerdo de mi propia experiencia, y eso me importa muchísimo. Además, en estos meses he disminuido mis horas de trabajo, algo que aparentemente quería hacer desde hace años y nunca había hecho. Por otro lado, en las últimas dos semanas he vuelto a jugar al *bridge*, que había abandonado hace mucho debido a mis «ocupaciones». He vuelto a reducir la cantidad de cigarrillos que consumo al día. Y, aleatoriamente, todo el proceso me ha dejado con nueve kilos menos de peso (que, como sabes, buena falta me hacía).

—¡Ah, ha aparecido el optimista incorregible, como te llama Aldo!

—Es que si me dieran la posibilidad de borrar esta experiencia de mi vida, tendría que renunciar también a toda esta capitalización positiva de experiencias y, también, a los logros obtenidos.

* * *

Barry Stevens: «Si por vivir todo lo bueno tuve que vivir todo lo malo, no renuncio a nada de lo malo por no perder nada de lo bueno».

Hace mucho tiempo, Dida, una paciente, me dijo:

—Doctor, he leído en un diario inglés una frase que debe haber escrito usted, o alguien la escribió después de conocerle.

Y, alargando la mano, me dio un papel que decía:

«LO BUENO DE LO MALO ES QUE NO ES LO PEOR».

CARTA 40

Me duele tu enfado.
Me duele tu tristeza.
Me duele tu enojo.
Pero lo que más me duele es tu silencio...
Sentir que te escondes de mí.
Que estás detrás de tus «no sé».
Que, como el tango:

$\qquad\qquad$ Te busco y ya no estás.

¿Necesitas una excusa para separarte de mí?
Puedo subir la montaña más alta

$\qquad\qquad$ con tu ayuda.

Sin ti, me cansa hasta jugar al escondite,
me cansa saltar obstáculos,
me cansa pelearme con tu orgullo,
me cansa golpear la puerta
que ambos queremos que se abra
y tú mantienes cerrada.

No creo en tu confusión sino en tus frenos.
No creo en tu «tiempo» sino en tu orgullo.
No creo en tu odio sino en tu frustración.
No creo en tu conducta sino en tu sentir.
Me siento como el ciego

del poema de Rafael de León
«que agita su pañuelo llorando
sin darse cuenta de que el tren
hace rato ya que ha partido...»
¡Ven! ¡Abre! ¡Habla! ¡Pelea!

¡Que aquí estoy!

CARTA 41

Claudette:

A mí lo único que me sorprende del suicidio de G. es tu sorpresa.

Por lo que tú misma me cuentas, todo lo que hizo G. fue obedecer el mandato recibido de sus padres en los primeros años de su vida.

El tema de los mandatos y permisos paternos es una de las variables más investigadas en la psicología actual.

Estos mandatos (verdaderas órdenes condicionantes) llegan al niño de diferentes maneras. La mayoría de las veces no explicitadas, desde mensajes no verbales.

Eric Berne, para quien el Yo se encuentra compuesto de tres estados (el Padre, el Adulto y el Niño interior), dice que estos mandatos de nuestra educación perduran en nosotros, dentro de nuestro Padre interno (en última instancia, la introyección de las figuras paterna y materna) y que, de alguna manera, actuamos desde allí frente a determinadas situaciones.

Berne propuso un listado de trece mandatos «básicos» que, de alguna forma, incluyen a todos los demás. Los mandatos de Berne son:

1. *No seas*. Este mandato surge cuando un niño nace en una «situación inoportuna». Sus padres están a punto de separarse, son demasiado viejos, demasiado jóvenes, demasiado pobres o «demasiado solteros». Éste no es siempre el resultado de un embarazo no deseado: es el resultado de un nacimiento no deseado.

Esta aclaración me parece trascendente. Últimamente he visto con horror el rótulo de «hijo no deseado» en historias clínicas en las que sólo debía figurar, como máximo, la anotación de «embarazo no esperado», que no es lo mismo.

2. *No seas lo que eres*. Aquí los padres querían un niño de diferente sexo o querían un niño de diferente color o querían un niño absolutamente sano o, muchas veces, querían un niño que ocupase el lugar de otra persona (el padre de ella o la madre de él o un hermanito que acababa de fallecer).

3. *No te acerques demasiado*. Un mensaje que viene ligado a la capacidad o incapacidad de los padres de elaborar los duelos. El niño, enfrentado a la herida que no cierra por una pérdida en la familia, puede construir con facilidad una postura acorde con el mandato. Otras veces es la expresión transmitida por la propia dificultad de los padres para el contacto físico. (Me contaba Cecilia que, en un viaje a Alemania, presenció espantada cómo los padres que iban a buscar a sus hijos a la guardería los recibían dándoles formalmente un apretón de manos.)

4. *No pertenezcas*. De alguna manera, un mensaje relacionado con el anterior. Aquí también puede ser una protección subliminal a la pérdida, aunque muchas veces es la lectura del niño del aislamiento social de su familia respecto del entorno. Los padres no tienen amigos, no visitan a sus parientes, no pertenecen a ningún grupo humano, a ningún

club, a ningún núcleo político. La familia es un grupo aislado del medio.

5. *No crezcas.* Este mandato ocurre con padres que necesitan a alguien a quien cuidar, requieren un niño en quien proyectar sus propias necesidades de cuidados y protección. A veces también se da en padres a los que, por ejemplo les aterra pensar en enfrentarse con la efervescente sexualidad de un adolescente. De todas formas, los padres que dan esta orden utilizan al niño para dar sentido a sus vidas.

6. *No seas un niño.* El mandato opuesto al anterior (aunque no necesariamente incompatible, la suma de ambos se transforma a lo largo de un *no existas*). Este mandato es generado por padres que no aceptan la responsabilidad de tener un hijo que los reclama. A veces, la orden tiene el sentido de presionar al niño para que se haga cargo de sus hermanos menores o, ¿por qué no?, de sus padres, que actúan como niños.

7. *Tú no sabes hacerlo.* Aquí los padres desprecian los logros de sus hijos, comparándolos permanentemente con los de otros niños, con los de los adultos y, a veces, hasta con los de los propios padres, que debilitan su ego a través de este mecanismo.

8. *No estés bien.* Esta orden es dada por los padres que brindan atención a sus hijos sólo cuando éstos tienen problemas o están enfermos. Los padres educan a los niños desde temprana edad en los beneficios secundarios de estar mal.

9. *¡No!* Este mandato es dado en general por padres demasiado asustadizos. El niño aprende que la vida es peligrosa y que todo lo que haga entraña un riesgo para su persona (en especial lo que le da placer).

10. *No eres importante*. Este mandato aparece en padres que «no tienen tiempo» para el colegio de sus hijos, para sus amigos, para sus necesidades. Estas responsabilidades son derivadas en una asistenta, un abuelo o, simplemente, son ignoradas. Otras veces adopta la forma de una exclusión de la realidad familiar («vete que tenemos que hablar de algo importante»).

11. *Sé perfecto*. Una derivación de la actitud vanidosa de los padres. Aquí, ellos necesitan buenas notas, destacar en los deportes o habilidad en el dibujo para sentirse orgullosos «de ellos mismos» por haber tenido un hijo tan bueno, tan hábil o tan inteligente. En la escuela sólo se tienen en cuenta los «sobresalientes» y «dieces» o, por el contrario los «suspensos» e «insuficientes». Aquéllos se premian; éstos se castigan. Todas las demás calificaciones son totalmente ignoradas. «¿Qué es un Muy Bien? Cualquiera saca un Muy Bien...»

12. *No pienses*. Quizás ésta sea una variante del *no crezcas*. Aquí la sugerencia es el riesgo que existe en tener ideas propias. Lo peligroso es tener ideologías diferentes. Lo dañino es pensar en «ciertas cosas» (sexo, droga, libertad, etc.). Este mandato tiene varios niveles: desde el «no pienses lo que piensas sino lo que deberías pensar» hasta el «no pienses del todo».

13. *No sientas*. Aquí los padres están muy asustados de su propio sentir o tienen desterrada de su ámbito de sensaciones alguna emoción: muchas veces la tristeza o el dolor y, a veces, la alegría.

En este mandato también hay diferentes variantes:
«No sientas nada.»
«No sientas dolor.»
«No sientas lo que sientes, sino lo que yo te digo que sientas.»

Este último mandato, quizá por deformación profesional o quizá por ser uno de los más frecuentes, es el que más me fastidia. En mi consultorio lucho todos los días contra él.

No dudo de que este listado está incompleto y que las atrocidades que somos capaces de generar en los niños no tienen límites; sin embargo, baste esta muestra para decirte lo que me interesa sobre los guiones.

Estos mandatos, como te decía, son «puestos» en los niños más o menos sutilmente a través de gestos y movimientos corporales, o a través de las aceptaciones y rechazos que tenemos desde antes de que nazca la criatura y que, con seguridad, materializamos en nuestro primer mandato, que viene entrelazado con la elección del nombre que hemos de poner al hijo recién nacido.

Todos estos mandatos determinan que el niño abandone su infancia (ocho años) con una clara idea de lo que se espera de él. El niño (y el adulto) necesita agradar, necesita sentirse querido y aprobado. Por eso recibe directamente de sus padres la idea de la máxima aceptación cuando cumple estos mandatos.

A partir de ellos y de sus experiencias elabora un guión de su vida, un argumento vital para su existencia que reflejará su respuesta a estos primeros años vividos.

Estos guiones son, por supuesto, muy variables en cuanto a duración, riqueza, género, profundidad, etcétera.

Hay guiones dramáticos, con monstruos, persecuciones y homicidios.

Hay guiones estándar con boda, un buen trabajo, dos hijos (un niño y una niña) y una muerte en paz.

Hay también guiones trágicos, con sufrimiento, dolor, pérdidas, locura y suicidio (respondiendo al mandato «*no existas*»).

Así, dejo mi infancia con un argumento bien escrito y

bastante complejo, y entonces me dedico a buscar los demás personajes necesarios para la obra (¿te acuerdas de los juegos psicológicos?).

Pero, ¿somos tan poderosos como para determinar las cosas que nos han de pasar?

¡Creo que no!

Sin embargo, creo que el hecho de que exista nuestro guión puede marcar una tendencia. El mecanismo de acción de estos argumentos es el de la predicción creadora.

¿Qué es la predicción creadora?

* * *

Una mañana, Juan se levanta y mira por la ventana que da a la calle. En la acera de enfrente está el moderno edificio del Banco Pirulo Ltd., donde Juan tiene cuenta. Asombrado, ve una mancha en el vidrio de la fachada e inmediatamente imagina: «Este banco va a quebrar».

Coherente con su profecía, cruza la calle y se queda en la puerta del banco esperando a que abran para sacar su dinero.

Pasa Pepe, el del colmado.

—¿Qué tal, Juan?

—Bien, ¿qué te cuentas?

—¿Qué haces aquí?

—Estoy esperando a que abra el banco.

—¿Vas a pagar un impuesto?

—No, voy a cerrar mi cuenta.

—¿Por qué?

—Mira, por nada en especial, pero he tenido una fantasía, por el vidrio que está sucio. ¿Ves? Y, entonces, pensé: ¿Para qué correr riesgos?

Pepe, que también tiene cuenta en el Pirulo Ltd., piensa:

«Tiene razón. ¿Para qué correr riesgos?» Y, acto seguido, se queda detrás de Juan a esperar a que abran el banco...

Pasa doña María.

—¿Qué tal, don Pepe, cómo está?

—Pues ya lo ve, doña María... Esperando a que abra el banco.

—¿Por qué tan temprano?

—Juan y yo vamos a sacar nuestro dinero de aquí. Un problema de riesgos, ¿sabe? Por lo de la mancha.

Doña María ni siquiera pregunta por la mancha. Se queda pensando en la palabra «riesgos». La cola ahora tiene tres personas.

No hacen falta más detalles. A las diez de la mañana, cuando el banco abre, hay dos manzanas de cola. Es la gente del barrio que quiere cerrar sus cuentas.

Obviamente, el banco no tiene allí todo el dinero en efectivo necesario para responder a todas las peticiones. A las doce, el gerente del banco sale a la calle y dice:

—Vamos a tener que esperar hasta las dos de la tarde porque he mandado a buscar más fondos a la casa central. Tranquilícense.

La gente escucha: «Esperar, buscar fondos, tranquilícense...». Entonces se empiezan a poner exigentes. Reclaman su dinero, no pueden esperar. Llegan los periodistas de la televisión y los reporteros gráficos. Sacan fotos de los «pobres ancianos» que no reciben su dinero.

Al día siguiente, la noticia aparece publicada, radiada y televisada: «Escándalo frente a las puertas del Pirulo Ltd». Y la crónica relata los hechos con más o menos sensacionalismo. En todas las sucursales del banco aparecen largas colas de personas que, enfurecidas, reclaman sus ahorros ¡ya!

Las consecuencias son inevitables...

Han pasado dos días. Juan se levanta y lee en el diario: «El Banco Pirulo Ltd. Es intervenido. Se teme su cierre definitivo». Juan cierra el diario, sonríe y dice: «Yo ya lo sabía...».

Ésto es la predicción creadora.

Una profecía que genera los hechos como para realizarse. Y, entonces, un montón de hechos inexplicables empiezan a tener sentido. La astróloga me dice que un hombre rubio me hará daño. Y entonces salgo a la calle con mi profecía a cuestas, buscando al hombre rubio que me va a perjudicar. Y lo encuentro, seguro que lo encuentro. Y, si tardo en encontrarlo, puedo empezar a perseguir y controlar a todos los hombres rubios que conozco hasta conseguir que uno me diga:

—Me tienes harto, ¿por qué no te vas al diablo?

—¡Ajá! ¡Éste es el rubio!

La predicción creadora funciona en los dos sentidos. No hay nada que me dé mas probabilidades de conseguir algo que creer que es posible. No hay nada que me reste más posibilidades que creer que nunca lo lograré.

Volvamos a los guiones.

La gran clave de este tema consiste en darme cuenta de mis guiones: investigarlos y descubrirlos; encontrar qué actitudes de mi vida cotidiana no son realmente de mi elección, sino parte de un argumento que trato de cumplir.

Éste es el primer paso.

El segundo es romper el guión, renunciar a él de cabo a rabo. Y, después, si todavía quiero un argumento (llamémoslo proyecto), puedo escribir uno nuevo desde mi realidad, desde mis gustos y apetencias de aquí y ahora.

Y, si es posible, escribirlo a lápiz, para poder borrar lo que quiera cuando me dé la gana.

Y, sobre todo, un argumento que esté siempre dispuesto a ser destruido y reemplazado por otro: uno nuevo más acorde con mi vida, con mi persona, con mi sentir de hoy.

CARTA 42

Amiguísima:

No, no creo en las metas.

La sensación que tengo ante la palabra «meta» es la de llegada, la de... ¿Y después, qué? La de final...

En todo caso, prefiero hablar de objetivos.

El objetivo, siempre y cuando no sea utilizado para estructurar mi vida, de manera que pueda modificarlo permanentemente, puede ayudarme a lograr lo que quiero, lo que *en realidad* quiero. Es más, algunos de mis problemas aparecen cuando pierdo de vista el objetivo, cuando dejo de saber qué es lo que quiero, cuando abandono mi darme cuenta del para qué de mi conducta.

Cada una de nuestras conductas tiene siempre uno de estos tres objetivos:

I. Tiende a producir una modificación en el otro.
II. Tiende a producir un cambio en mí mismo.
III. Tiende a generar una descripción de un hecho o situación.

Repito: mi conducta es siempre aloplástica, autoplástica o descriptiva. No hay otra posibilidad. No quisiera que creyeras que estoy hablando de conductas «más» o «menos» sanas. Lo sano, en todo caso, podría ser darme cuenta de cuál es el objetivo de mi conducta.

La conducta aloplástica aterriza sin remedio en el tema de la manipulación.

¡Manipular a los demás!

Para mí, cada vez que intento producir un cambio, una respuesta determinada o una modificación en ti, sin decírtelo abiertamente, estoy manipulando.

Es una manipulación que te diga: «Tengo frío» cuando quiero decir: «Alcánzame un jersey».

Es una manipulación creer que me haces sentir mal en lugar de darme cuenta de que soy yo el que se siente mal.

Es una manipulación que te diga que te quiero sólo para conseguir que me confirmes que tú también me quieres.

Es una manipulación preguntarte algo si no voy a confiar en tu respuesta.

Es una manipulación seguir esperando que cambies en lugar de actuar coherentemente con mi desagrado y alejarme yo.

Es una manipulación acusarte de ser un manipulador en lugar de asumir que soy yo el manipulable, soy yo el que se deja manipular.

Es una manipulación relacionarme con otra persona desde otro lugar que no sea mi auténtico ser yo mismo...

Entonces... ¿Está mal manipular?

El punto no es si está bien o está mal. El punto es si sirve.

Yo creo que todo depende de con quién estoy.

Si estamos hablando de una relación íntima, de una relación nutritiva, de una relación que me importa, entonces, ¿para qué manipular?

¿De qué podría servirme (más que para creerme «poderoso») que hagas lo que yo quiero porque yo he «conseguido» que lo hagas?

Si hoy estás aquí conmigo y yo no quiero que te vayas, monto un terrible teatro diciendo que me siento mal y tú, a partir de ese momento, decides quedarte. ¿De qué me sirve que te quedes?

Si eres mi pareja y yo me comporto como un delirante celoso para impedir que te relaciones con los demás, ¿de qué me sirve esa «lealtad»?

Sin embargo, no intimamos con todo el mundo. No nos relacionamos íntimamente con todas las personas que conocemos. Y, es más, en este mundo en que tú y yo vivimos, ¿sería deseable que me comportara con la misma absoluta autenticidad con todo individuo que se cruce en mi camino?

¡Mi respuesta es no!

Hace algunos años, una noche de viernes, estaba con Perla sentado en un bar de la calle Corrientes.

De repente, me di cuenta de que eran las nueve de la noche, y recuerdo que había quedado con un paciente en que le llamaría a esa hora. Le pregunté al camarero:

—Camarero, ¿tienen teléfono público aquí?

—No, señor.

—¿Dónde puedo encontrar un teléfono cerca?

—Hay uno a cuatro calles, pero no sé si funciona.

—Dígame, ¿en el mostrador no tienen teléfono?

—Sí, teléfono hay, pero el dueño no se lo presta a nadie.

—Gracias.

Me levanté y me acerqué al mostrador maquinando qué hacer para conseguir el teléfono. ¡Idea! Saqué el carné credencial de médico.

—Buenas noches, señor. Mire, yo soy médico —dije mostrándole la credencial— y necesito hacer una llamada. Es importante. Le pido que me preste el teléfono. (¡Manipulación!)

—¡No funciona!

—¿Le molesta si pruebo?

Con cara de asco, extendió una mano debajo del mostrador y sacó un aparato, mientras con la otra (me di cuenta después) movía una palanca para pasar la línea a otro aparato.

Yo levanté el auricular y, por supuesto, *no funcionaba*.

Le miré con odio y, con un sarcástico «muy amable» (que, por supuesto, ni le inmutó), giré y empecé a caminar hacia mi mesa...

Pero no llegué a la mesa. Cinco pasos antes oí sonar el timbre de un teléfono. Situé el sonido y provenía de mi izquierda. Me di cuenta de la jugada. Volví a girar hacia el mostrador.

Al acercarme, me di cuenta de que el hombre no estaba a la vista. Lo busqué. ¡Estaba *escondido* debajo del mostrador atendiendo la llamada!

Apoyé las manos en el mostrador y esperé...

Quería insultarle.

Quería romperle una silla en la cabeza.

Quería hacerle entender que era un imbécil.

Y, entonces, en el preciso instante en que el hombre salía de su escondite y me miraba entre asombrado y asustado, recordé que mi objetivo, mi más importante objetivo, era hablar por teléfono...

Mi expresión cambió y, con mi mejor cara de estúpido, le dije:

—¡Qué suerte! Acaba de arreglarse. Ahora me lo podrá prestar...

Ya no lo pudo evitar...

—Sí, sí, doctor. Aquí lo tiene...

¿Manipulación?

Sí. ¡Manipulación!

A esto yo lo llamo *no perder de vista el objetivo*.

CARTA 43

Claudia:

Todos tenemos una historia trágica.

Está compuesta por todos los hechos «terribles» que nos ha tocado vivir, cuidadosamente ordenados, agrandados y archivados para justificar nuestras peores carencias.

En términos de Eric Berne, la historia trágica de nuestra vida es una gran «pata de palo».

El juego de la «pata de palo» está simbolizado claramente por un señor de cara lánguida y expresión lastimosa que tiene puesta una camiseta que dice: «¿Qué se puede esperar de mí si tengo una pata de palo?».

¿Quién no ha jugado alguna vez a este juego?

¿Quién no tiene por lo menos una «pata de palo» preparada como excusa funcional para explicar lo que no tiene más explicación que nuestra propia responsabilidad?

Mi actitud como terapeuta consiste muchas veces en extirpar patas de palo.

—¿Qué se puede esperar de mí...

... si perdí a mi madre cuando era tan pequeño?

... si no llegué a conocer a mis abuelos?

... si tengo un padre alcohólico?

... si tengo tan mala suerte?

... si nací en un hogar tan pobre?

... si mis padres eran analfabetos?

... si soy tan débil?

... si soy tan cascarrabias?

... si soy un neurótico?

... si tengo una historia trágica como ésta?

Aprendí a escuchar las «historias trágicas» viendo trabajar a Alma.

Alma (lúcida, sagaz, estudiosa, constante, madraza, cariñosa, sensible, creativa) es la mejor coterapeuta con quien yo he trabajado jamás. Desde que nos conocimos (y nos elegimos), nos reunimos dos o tres veces al año para trabajar juntos en un laboratorio de fin de semana.

Fue en uno de estos laboratorios donde vi a Alma utilizar este enfoque con un paciente por primera vez.

Desde entonces, he escuchado y trabajado cientos de historias trágicas, la primera de las cuales, por supuesto, fue la mía. Mi propia «historia trágica».

¿Te la cuento?

Soy el menor de dos hijos de una familia de clase media-baja. Cuando yo nací, mi familia atravesaba una crisis económica bastante seria que duró toda mi infancia. Siempre sospeché que mis padres hubieran deseado tener una hija en lugar de un varón. Mi hermano, que había nacido cuatro años antes que yo, había causado múltiples problemas con su alimentación, y por eso a mí me estaban dando de comer durante todo el día. Fui un «hermoso» bebé gordo y, por supuesto, también fui el «gordo» de la escuela primaria, de la secundaria, etcétera. Desde los cuatro o cinco años sufrí bronquitis espasmódica. Muchas veces las crisis disneicas me impedían hacer deporte o simplemente salir a la calle a correr con mis compañeros. Mi padre, desde que tengo memoria, trabajaba de domingo a domingo, desde el amanecer hasta bien entrada la noche. Y la mayoría de las veces de enero a diciembre. No tengo en la memoria salidas con mi padre a solas. Nunca hubo fútbol ni paseos en bicicleta ni largas caminatas. Puedo recordar puntualmente una salida al circo, dos o tres idas al tiovivo y basta. Cuando no faltaba tiempo escaseaba el dinero. Mi madre nos sobreprotegió siempre. En casa, ella intentaba estar al tanto de todo: ¿Cómo tener secretos con una madre? El tiempo que le sobraba después de estar controlándonos lo dedicaba a cocinar, caminar hasta la feria para comprar las cosas un peso más baratas o almidonar las puntillas que adornaban los armarios de la cocina. Mis padres nunca tuvieron tiempo para sentarse a hablar con nosotros sobre sexo ni sobre las dificultades de la vida ni sobre las insondables intrigas de la muerte. La inclinación de mi madre hacia la protección y la aparente fragilidad de mi hermano motivó que, desde muy niño, yo sintiera que me estaban robando mi lugar de hermano menor. Siempre me sentí obligado a ser el fuerte, el que podía, el que lo soportaba todo, el rebelde y también el loco. Los correctivos en casa oscilaban entre los gritos y palabras fuertes de mi padre hasta las manipulaciones culpabilizadoras de mi madre. Desde los catorce años trabajé intentando ganar mi dinero. Mientras estudiaba, fui botones de oficina, empleado de sedería y taxista. He vendido pares de calcetines por la calle. He tocado timbres casa por casa vendiendo afiliaciones a un sanatorio. He sido payaso, mago, vendedor en un colmado y agente de seguros. He trabajado vendiendo apuntes en la facultad, bolsos, ropa para hombres y productos químicos industriales. He sido médico de guardia de urgencias y médico interno en una clínica psiquiátrica. He hecho reconocimientos domiciliarios y, también, cuando el dinero no alcanzaba, dejé la profesión para dedicarme durante un tiempo al comercio de artículos deportivos. Cuando tenía quince años...

Y podría seguir...

¿Qué se podría esperar de mí con una historia como ésta?

Sin embargo, aún cuando estos datos son más o menos fieles a mi recuerdo, resulta que no soy lo que tristemente se debería dar como consecuencia de esta historia. Aún cuando todo lo relatado, y más, me ha sucedido, aquí estoy: soy todo esto que soy y tengo lo que tengo. ¡Y atención! Este resultado diferente no es debido a que hayan habido otras cosas no trágicas. Este resultado es consecuencia directa de estas vivencias que acabo de relatar. De alguna manera, esta historia trágica ha logrado hacer de mí el que soy hoy.

Y, es más, hoy denuncio que esta historia trágica, ésta que he contado a otros tantas veces, ésta que me cuento a mí mismo de vez en cuando, ésta que creo cierta cuando me conviene... Esta «historia trágica» ni es toda la historia ni es todo lo trágica que parece (lo trágico de mi historia, en última instancia, lo aporto yo).

¿Cuál es la otra parte de la historia?

La otra parte es lo que a mí me gusta llamar «mis privilegios».

Preguntarás por qué creo ser un privilegiado.

Hoy, por primera vez, tengo ganas de responder a uno de tus «porqués».

Soy un privilegiado porque soy hijo de unos seres humanos maravillosos.

Soy un privilegiado porque soy el producto de un amor como nunca he visto y dudo volver a ver.

Soy un privilegiado porque mis padres me han compensado con un desmedido afecto cualquier otra carencia.

Soy un privilegiado porque tanto mi padre como mi madre me han dado, sin lugar a dudas, lo mejor que tenían.

Soy un privilegiado porque, sin hacer nada para conseguirlo, he nacido con la inteligencia, la sensibilidad y la intuición necesarias para hacer lo que hago y disfrutarlo.

Soy un privilegiado porque no he padecido nunca el hambre ni el frío ni ninguna enfermedad seria.

Soy un privilegiado porque vivo en una casa como la que siempre soñé tener.

Soy un privilegiado porque, no hace mucho tiempo, me «encontré» con mi hermano mayor y decidimos juntos no separarnos nunca más.

Soy un privilegiado porque trabajo en lo que más me gusta y me pagan por hacer lo que amo hacer.

Soy un privilegiado porque, a mis treinta y seis años, he cosechado millones de afectos y he vivido intensamente mis relaciones con los demás.

Soy un privilegiado porque he llegado a tener casi todo lo que quise en la vida, sin esforzarme jamás por conseguirlo.

Soy un privilegiado porque aún soy capaz de enamorarme.

Soy un privilegiado porque amo y soy amado.

Soy un privilegiado porque, aunque no hago todo lo que quiero, jamás hago lo que no quiero.

Y, sobre todo, soy un privilegiado porque soy el padre de mis dos hijos.

Yo soy yo.

¡Un privilegiado!

Claudia:

No sé.

¿Cómo describir una experiencia tan personal como un laboratorio?

Quizás lo más que pueda decirte es que es un episodio vivencial. Desde una descripción más fría, es una experiencia grupal: de diez a treinta personas reunidas con dos o más terapeutas (en general tres o cuatro), dispuestos a trabajar juntos, durante un fin de semana, en la exploración del «sí mismo» y de la vivencia vincular con los demás.

¿Qué se hace? ¿Cómo se hace?

Cada laboratorio es una situación única y, por lo tanto, la mejor cosa que yo puedo decirte es: haz uno.

Durante el laboratorio gestáltico se trabaja desde la palabra hasta el gesto. Desde lo concreto y desde el ensueño. Desde lo real y desde lo teatralizado.

El objetivo: aumentar la capacidad de darse cuenta (sentir, vivenciar, intuir, imaginar).

Hace más o menos un año, Patricia, ahora psicóloga, pasó por la experiencia y luego la describió en la tesis que presentó para su graduación.

Quizás más que mis palabras pueda transcribir las de ella, relatando *su* laboratorio:

Preparé mi bolsa y recordé las instrucciones de Jorge: ropa cómoda, un almohadón y una manta. Me parecía estar a punto de emprender un viaje. El laboratorio era en casa de Jorge, mi terapeuta. Un chalet en Haedo.

Cuando entré ya habían llegado todos (o eso imaginé) y estaban sentados en el suelo sobre sus almohadones o mantas. El recuerdo que tengo ahora es el impacto de cientos de colores y formas y caras y ojos, y un clima muy cálido que me invadía y competía con mi ansiedad. Cuando me senté, la lucha dentro de mí cesó y sentí paz. Me sentía inundada de un espíritu casi místico. Después, la música subió de volumen y se nos dio la primera consigna: «Miraos y dejad que os miren».

Era tan sencillo...

Sin embargo, a medida que nos recorríamos con los ojos todo parecía menos sencillo. Algunas veces mis ojos se encontraban con alguna mirada. Otras, experimentaban la sensación de una carrera en pos de ojos que se escabullían y huían de los míos. ¿Estaría yo también huyendo de otros?

La segunda consigna era presentarse: «Dejad fuera los datos que correspondan a una ficha de archivo. No nos importa cómo os ganáis la vida, qué edad tenéis, cuál es vuestro estado civil ni cuánto dinero hay en vuestras cuentas bancarias. Queremos saber quiénes sois».

Para presentarse, cada uno lo tenía que hacer desde el centro de la rueda. No había ningún orden preestablecido. Las ganas de cada uno determinaban el turno.

Noté que no me atrevía. «Miedo escénico», como decía Perls. Llegué a pensar que no podría hacerlo. Aparecía toda aquella timidez que a veces trato de esconder. De pronto, me sorprendí, casi sin quererlo, levantándome y caminando hacia el centro de la sala. Pude. Mis propias palabras me tranquilizaron: «Yo soy un poco cada uno de vosotros...».

Y era cierto. Me daba cuenta de algo que ya sabía: me ocurre lo mismo que a todos los demás.

Aprendí que nuestro punto en común es ser personas (en el más estricto sentido de la palabra).

Hoy me pregunto si fueron nuestras cosas en común o nuestras diferencias las que permitieron nuestro funcionamiento como grupo. Me contesto que fue la suma de ambas.

A petición de los terapeutas, nos recostamos en el suelo. Con su ayuda, nos relajamos e hicimos un ejercicio de exploración de los sentidos. Primero sentimos el aire entrando y saliendo de nuestros pulmones. ¡Pensar que respiro más de mil quinientas veces al día y en aquel momento me parecía que nunca antes había sido consciente del aire en movimiento en mis bronquios y pulmones! Redescubrí así mi oído, mi olfato, mi gusto y, por último, mi tacto: recorrí mi propio cuerpo encontrando sus salientes, sus huecos, su temperatura, su textura...

Yo estaba muy sorprendida y también muy confundida. Era el final del primer encuentro. Se nos pidió que fuéramos a nuestras casas a descansar. La consigna era «hablar lo menos posible hasta el día siguiente». El objetivo de esta tarea era, creo, provocar el contacto de cada uno consigo mismo; aumentar, como diría Perls, el darse cuenta del mundo interior. Y así fue. Creo que nunca antes había sido tan consciente de mis sensaciones corporales y sensoriales.

A la mañana siguiente nuestro encuentro fue muy cálido y sincero. Empezamos el trabajo con un ejercicio que debíamos hacer de dos en dos: uno adoptaría una postura corporal «cerrada» frente al mundo y el otro lo ayudaría a abrirse.

Recuerdo ahora lo hermoso de este contacto entre nosotros. Las caricias, el calor, el olor de mi compañero me llenaban de satisfacción. Y el placer de sentir que lo ayudaba a abrirse me hizo feliz. Antes del almuerzo realizamos un ejercicio que consistía en agredir en forma verbal a cada uno de los miembros del grupo. Debíamos agredirnos directamente, frente a frente. Como consigna, se nos indujo a conectar con nuestra propia capacidad de agresión. Nos pedían que fuéramos hostiles, que nos miráramos con rabia, que tratásemos de darnos cuenta de todo aquello que no nos gustaba del prójimo.

A medida que el ejercicio avanzaba, el clima se iba caldeando y muchos de los integrantes se levantaban cada vez con menos timidez. Entretanto, el equipo terapéutico había repartido hojas con el nombre de cada integrante del grupo donde se registraban las palabras utilizadas como agresión.

Luego, durante el almuerzo, cada uno de los miembros del grupo tuvo que representar el papel constituido por todas las agresiones verbales que había dirigido a los demás compañeros y que no reconocía como propias.

Con no poca sorpresa, cada uno de nosotros iba conectando con sus partes negadas por la falsa búsqueda de aceptación. Las resumíamos como propias y nos responsabilizábamos de ellas.

Después realizamos un ensueño dirigido. Me guiaron en una visita a un imaginario museo de mi vida. Allí me encontré con situaciones importantes de mi historia y, por supuesto, con aquellas situaciones inconclusas que, para la Gestalt, están detrás de nuestras conductas inadecuadas. El resto del laboratorio lo dedicamos a trabajar estas situaciones ensoñadas. Era maravilloso asistir al proceso de descubrimiento de cada uno de mis compañeros.

Sentí que, como yo, cada uno de nosotros estaba pendiente de todo lo que ocurría.

Presenciábamos la movilización, el trabajo, el hallazgo y, sobre todo, el cambio que casi mágicamente se producía cuando el que trabajaba cerraba su Gestalt encontrando un nuevo equilibrio.

Al final del sábado se dio una nueva consigna: caminar con los ojos cerrados, encontrarnos los unos con los otros sin saber con quién. El cuarto estaba a oscuras; al principio teníamos que buscar manos. Con las nuestras debíamos conocer, explorar, tocar y acariciar las de los demás. Después, sentados en el suelo, sobre las mantas, buscar pies y cuerpos y quedarnos conociéndolos todo el tiempo que deseáramos. Debíamos conocer muchos otros. Encontraba hermosos esos contactos, me sentía viva, reconocida. Todo se había convertido en un laberinto de manos que se entremezclaban con los pies, que se buscaban. Se formaba una alianza general alegre, divertida y simple. Se enlazaban mis ganas de dar y recibir caricias y reconocimiento con las de todos.

Se terminó la actividad del sábado. Estaba agotada, pero feliz y querida. Sentía que amaba a todos los que estaban conmigo.

El domingo me levanté con una sensación muy especial. Sabía que terminaba el laboratorio y, dentro de mí, se mezclaban los recuerdos: el placer de volver a verles y el displacer de separarme de ellos.

Alrededor de las ocho de la tarde, el laboratorio comenzó su parte final. Nos colocamos todos formando un corro, sosteniéndonos los unos a los otros, tomados por los hombros y realizando un pequeño movimiento libre de nuestro cuerpo. Jorge hablaba, preparando nuestra despedida. Repitió la frase inicial del laboratorio y dijo que nos despidiéramos para siempre de todos, como si nunca más fuésemos a volver a vernos: si nos encontrábamos alguna vez, sería muy hermoso.

Nos despedimos... y me fui.

Al llegar a mi casa y acostarme, todavía podía sentir los abrazos, las miradas y las voces de mis compañeros.

El día siguiente fue muy duro. Sentía que aquella gente con quien había compartido tantas cosas era diferente a la que podía encontrar en la calle, en el trabajo, en el mundo real. Sentía que sería muy difícil relacionarme con otras personas de aquella manera pura, simple, honesta, con tan fuertes sentimientos y dando libre paso a la afectividad.

Pero sentía también que no estaba dispuesta a aceptar relacionarme desde el poco compromiso que ofrecen nuestras relaciones superficiales de todos los días.

Al transcurrir mi tiempo, me di cuenta de que, de alguna manera, aquellas personas eran también personas reales y del mundo real. Lo único distinto era la situación y la libertad que nos habíamos dado los unos a los otros.

Me doy cuenta de que esta forma tan íntima (en el sentido que Berne da a la intimidad) es la forma que elijo para relacionarme con los demás y me hago responsable de mi elección...

¿Te das cuenta? Un laboratorio es una manera de situarse en otro lugar durante un tiempo para vernos a nosotros mismos y nuestra realidad desde otro lado. Un laboratorio es la oportunidad de verme reflejado en infinitos espejos.

Aníbal Sabatini decía que la plenitud (o felicidad o nuestro más deseado objetivo) está dentro de una habitación delante de nosotros. Sabemos que sólo tenemos que abrir la puerta y ya está. Entonces, nos acercamos, giramos el picaporte (pues sabemos que no hay cerradura) y empujamos. En un primer momento, la puerta no se abre. Debe estar atascada, pensamos, y empujamos más fuerte. No hay manera. Aumentamos el esfuerzo, sin éxito. Llamamos a nuestros amigos, familiares y terapeutas para que nos ayuden a empujar. Lo hacen. Pero la puerta no cede. Nunca dejamos de intentarlo. Nunca en nuestra vida dejamos de empujar. Y empujando, empujando, nunca nos damos cuenta.

¡Nunca nos damos cuenta!

No se trata de empujar, sino de acercar con suavidad la puerta hacia nosotros.

Un laboratorio es una manera de enseñar una nueva posibilidad para dejar de empujar.

¿Te das cuenta de lo que es?

¡Imagino que no!

CARTA 45

Mi sueño de ayer:

Estoy en un lugar extraño (una sauna). Hay varios armarios a mi izquierda. Me acompañan mi padre, mi madre y una tercera persona que no sé quién es (no recuerdo). La situación no está explicitada, pero aparentemente estamos buscando el guardarropa que pertenece a mis padres. El que conoce el lugar y el número de taquillas es mi padre. Él camina delante y lo seguimos mi madre y yo. Mi padre camina mirando los números y yo le pregunto:

—¿Es aquí? ¿Qué número es? ¿Por dónde es?

En un momento, pierdo de vista a mi padre, que atraviesa una puerta. Lo sigo. Cuando entro, mi padre está cambiándose en un vestuario general. Yo no entiendo nada: mi madre y yo esperábamos en el otro lado a que él encontrase el armario. Lo increpo:

—¿Qué haces? ¿No te das cuenta de que te estamos esperando? ¿Por qué te estabas cambiando aquí? ¿Qué número es el de nuestra taquilla?

Lo miro. Mi padre mira hacia arriba, con la mirada perdida.

Yo sigo:

—¿No entiendes lo que te digo? —Y, entonces, me doy cuenta de que no me entiende.

Me invade una terrible angustia, caigo de rodillas y grito:

—¡No entiende, ya no entiende!

Lloro desesperadamente y me despierto.

A mi lado está mi esposa, intentando despertarme. Le grito que no me interrumpa. No quiero abandonar esa emoción hasta agotarla, no quiero interrumpirme.

Mi esposa intenta consolarme. La rechazo, la agredo, lloro. Mi esposa no me entiende, como en el sueño: no me entienden; me invade un profundo dolor.

Lloro desconsoladamente. Lloro.

* * *

Cuando agoto el llanto aparecen dos cosas. Por un lado, mi padre.

... Papá, estás viejo. ¿Cuántos años has cumplido? ¿Setenta y tres? Cómo me hubiera gustado encontrarte antes. ¡Hace veinte o treinta años! Te amo, papá. Te amo con tu obsesiva dedicación a tu trabajo, te amo con tu manera de fastidiarte la vida, te amo con tu incapacidad para recibir nada de nadie, te amo con la inteligencia que siempre admiré en ti y que hoy sé que nunca tuviste... Te amo con tu calidez, te amo con tu grandeza, te amo con tu honestidad sin límites, te amo con tu amor por los niños, te amo con tu amor por mi madre.

¡Me hubiera gustado tanto pasar más tiempo contigo!

La imagen de mi padre se diluye. Queda la otra: la mía.

No me entienden, o no me doy a entender, o no me siento entendido, o no soy entendible.

Nadie me entiende. Fritz, ayúdame.

—¿Qué quieres decir con «nadie»? ¿Quién es «nadie»?

—Mis padres, mi esposa, mis hermanos, mis amigos.

—¿Qué quiere decir que no te entienden?

—Quiere decir que no me contienen.

—Es decir...

—Es decir que no me puedo apoyar en ellos.

—¿Quieres apoyarte en ellos?

—A veces, sí.

—¿Lo intentas?

—No sé. A veces me parece que nunca lo intento. Es como si reclamara garantías de que el otro «va a poder» antes de confiar en él.

—Exigencias estúpidas, ¿no?

—¿Es muy exigente pedirle al otro que me contenga?

—No, lo exigente es pretender que te garantice que lo va a hacer.

—Es verdad.

—Por otra parte, lo que tú pides es que te sostenga, no que te contenga.

—Fritz, soy muy débil, en realidad soy débil. Estoy harto de esta fortaleza que los demás, todos los demás, creen ver en mí.

—He aquí un niño pequeño con un berrinche.

—Bueno, ¿y qué? ¿No puedo tener un berrinche de vez en cuando?

—¿De dónde habrán sacado los demás la idea de tu fortaleza?

—De mí...

—Hace un rato dijiste una frase: «Soy débil, en realidad soy débil, estoy harto, etcétera». Trata de invertir esa frase, cambiando débil por fuerte, y de escuchar esa frase nueva para ver cómo queda.

—Soy fuerte. En realidad soy fuerte, estoy harto de esa debilidad que los demás creen ver en mí.

—¿Te suena? ¿Cuántas veces habrás dicho esa frase a «los demás» durante toda tu vida? ¿Cuántas veces te la habrás recitado a ti mismo?

—Muchas...

—Es imposible para las personas aceptar un cambio de ciento ochenta grados en la estructura de los demás. Quizás si dejaras de vender fortaleza, si permitieras salir tu debilidad sin que detrás esté el exigente poniendo condiciones, si dieras tiempo a «los demás», quizás podrían contenerte.

—Qué tonto. Estoy pensando que no es ese el Jorge que les gusta. No es ese el Jorge que necesitan.

—¡Ah! Entonces, tú no quieres que te entiendan ni que te quieran, ni siquiera que te acepten. Lo que tú quieres es que te necesiten.

—Eso me duele. Me hace muchísimo daño.

—Parece que éste es el camino.

—Sí, éste es el camino. Es la ruta donde siempre me atasco. Mi necesidad de valoración.

—No te frenes. Date permiso para sentir esto.

—Quiero que me valoren.

—Ponlo en alguien delante de ti. Ese alguien es «todos los demás».

—Quiero que me valores, quiero que me reconozcas, quiero que me necesites.

—¿A quién hablas? ¿A quién le estás diciendo esto?

—No sé... A todos.

—¿También a tus pacientes?

—No, a ellos no. Con ellos es diferente, con ellos mi intención es que *no* me necesiten, que no dependan de mí. No, no es a ellos.

—¿A quién? ¿A quién le estás diciendo que te valore?

—Supongo que otra vez a mi padre.

—Díselo a tu padre.

—Papá, quisiera que me necesitaras, que me valoraras, que me reconocieras; pero, sobre todo, que me lo dijeras. Yo sé de tu reconocimiento frente a los demás. Pero a mí, papá, a mí nunca me has dicho que estabas orgulloso de mí. De mí, papá, nunca has recibido nada que no fuera gratuito o de poco valor. Papá, nunca has sabido recibir. No soportas la idea de necesitar al otro.

—Sé tu padre.

—*(Como mi padre.)* Es verdad, ¿y sabes qué? Hijo, ahora me doy cuenta de que tú y yo somos iguales también en esto. Porque esto es lo mismo que te pasa a ti. ¿No es cierto?

—¿No es cierto?

—Sí, es verdad.

—Cuéntale a tu padre cómo te sientes ahora.

—Papá, siento que ya es tarde para ti. Siento que es tarde para esperarte y que me enseñes a recibir. Sin embargo, no es tarde para mí, papá. Quiero aprender a recibir, quiero aprender a dejarme sostener, quiero aprender a tener pares, papá, no hijos: pares. Y, en cuanto a ti, papá, no voy a esperar más que recibas.

Me acuerdo de algo que leí sobre el amor y que puedo trasladar al «dar».

> Primero doy porque me dan,
> después doy para que me den,
> después doy para que reciban lo que doy
> y, por último, doy sólo por el placer de dar.

Hoy he crecido, papá. Quiero darte por el placer de darte. No quiero enseñarte y no tienes *nada* que enseñarme.

Como dice Barry, quizás hoy sea tu ex hijo...

—¿Qué sientes?

—Alivio, placer, paz y, en algún lugar, un poco de pena.

—¿Quieres decirle algo más a tu padre?

—Sí. Que le amo más que antes.

—Despídete...

—Adiós, papá...

* * *

—¿Quieres algo más?

—No. Gracias, Fritz.

CARTA 46

Claudia:

¿Cuál es la palabra?

> ¿Contento?
> ¿Pleno?
> ¿Satisfecho?
> ¿Tranquilo?
> ¿Realizado?
> ¿Bello?
> ¿Sereno?
> ¿Amarillo?
> ¿Rojo?
> ¿Plácido?
> ¿Expandido?
> ¿Encontrado?
> ¿Junto?
> ¿Maduro?
> ¿Adulto?
> ¿Alegre?
> ¿Musical?
> ¿Bien?
> ¿Indisoluble?
> ¿Fuerte?

¿Amado?
¿Único?

¡Todo esto me siento!

Y, sin embargo, me sé: Descontento... Vacío... Insatisfe-
cho... Irritable... Irrealizable... Horroroso... Inquieto...
Gris... Negro... Intranquilo... Retraído... Desencontrado...
Desunido... Inmaduro... Infantil... Triste... Silencioso...
Malo... Desarmado... Débil... Odiado...
Uno más...

A pesar de todo esto,
o quizás por todo esto,
hoy me siento Feliz.

CARTA 47

Claudia:

Me conecto ahora con algo que muchas veces comento en el consultorio. La diferencia entre entender, comprender y aceptar. Aquí estoy otra vez con mi pesada vocación por el significado de las palabras. (¿Qué diría Lacan de todo esto?)

Entender me suena a mental, a intelectual.

Entenderte es asegurarte que mi computadora interna es capaz de decodificar tu mensaje; o que tu actitud es razonablemente lógica, dados los hechos y las circunstancias. En última instancia, tu conducta (acción o expresión) está plenamente justificada.

Comprender va más allá. La computadora no participa. Participa mi capacidad de «sentir con». Me identifico, soy capaz de sentir dentro de mí lo que dices, sientes, haces.

¿Y aceptar? *Aceptar* es darme cuenta de que eres quien eres. Puede que no sea capaz de entenderte, quizás tampoco te comprenda. Sin embargo, si te acepto, podré no avalarte, no compartir contigo, pero no te pediré que cambies, que te modifiques.

Entonces, la dimensión de la palabra *rechazo* cambia.

Mi rechazo podría ser una forma de aceptarte, en la medida en que no exijo que te modifiques, que seas diferente, que tengas otra actitud para quedarte aquí.

Aceptarte podría ser: «No me gusta tu actitud, me molesta tu forma de ser o pensar, no quiero compartir cosas con el que eres, vete o mejor me voy. Pero no te pido que cambies, por lo menos no para mí, no para conservarme, no para permanecer conmigo. Sigue siendo quien eres y, si quieres, busca quien te quiera así, tal como eres. Porque te acepto, te rechazo».

Dicho de otro modo, mi no aceptación es: «¡Te quiero tanto! No nos separemos, pero tú tienes que cambiar esto o aquello. Tienes que dejar de ser así como eres. Si quieres estar conmigo, haz el esfuerzo y modifica esto y esto otro y aquello. Así estaremos juntos y felices...».

Y se me ocurre otra forma de no aceptación, también disfrazada de aceptación. Es vulgarmente conocida como «idealización».

En verdad, si te idealizo es precisamente porque no te acepto. Si te aceptase, no necesitaría idealizarte.

No quiero que cambies. No para mí. Quiero aceptarte como eres, aun cuando éste sea el camino que nos separe.

Prefiero que te alejes de mí por ser como soy a que permanezcas conmigo para cambiarme.

De todas maneras, si puedo elegir, elijo que me aceptes para quedarte, elijo aceptarte y tenerte cerca, tan cerca como ahora...

Es que, ahora que te escribo, que te cuento estas cosas, que comparto contigo mis delirios, ahora estás aquí a mi lado, del mismo modo que me sentirás a tu lado —lo sé— cuando leas esta carta.

CARTA 48

Claudia:

Hoy ha muerto Sara.

Sara tenía cincuenta y dos años.

Sara sufría cáncer.

Conocí a Sara hace un año. Llegó al consultorio con un cuadro depresivo. Me contó que, hacía unos años, había sido operada de un tumor de mama, que el tumor era benigno pero debía seguir un tratamiento profiláctico.

Sara tenía una calidez muy especial. Charlamos mucho sobre su vida y su relación con sus hijos. Hacia el final de la entrevista, Sara me dijo que ella iba a ser uno de mis fracasos. Le dije que no conseguía darme cuenta de lo que me quería decir. Contestó que había estado antes con otros terapeutas y no había recibido nada de ellos. Llegó a la conclusión de que el problema era ella. Le respondí que no tenía ninguna posibilidad de ser mi fracaso; fracasar implica una expectativa previa y yo no la tenía con ella. Yo le iba a dar lo que tenía y ella podría usarlo como quisiera. Para crecer, para mortificarse, para pasar el tiempo o para suicidarse. Eso era su decisión, no la mía.

Sara se mostró muy sorprendida y quedamos en seguir viéndonos.

Durante el mes siguiente paseamos un poco por toda su vida. Sara tenía una estructura de personalidad muy sana.

Me sorprendía que físicamente estuviera tan desmejorada. Me trajo sus análisis clínicos con valores normales. Días después, a petición mía, me entrevisté con su hijo mayor.

* * *

Sara estaba siendo engañada. Su tumor era maligno. Había metástasis ósea en la pelvis, columna y cráneo y, probablemente, metástasis en el cerebro. Sus posibilidades eran nulas.

Le dije a su hijo que yo creía que Sara tenía derecho a saberlo, que era su vida y que no era honesto ocultárselo. Me contestó que era una decisión familiar y que no la iban a modificar, y me pedía que me comprometiera a no revelarle la verdad.

Respondí que el engaño o la estafa no eran mi manera de trabajar, y que no estaba dispuesto a negar a Sara una enfermedad que, por otra parte, yo estaba convencido de que ella sabía que tenía. Añadí que el paciente podrá negárselo pero, internamente, conoce su mal.

Sara dejó de venir, imaginé que influida por sus hijos y su marido.

De vez en cuando me llamaba por teléfono y charlábamos unos minutos.

Pasaron los meses.

Hace tres semanas me llamó desde el hospital. Estaba internada para «unos análisis», como otras veces. Me pedía que la visitara. Lo hice. Sara estaba muy desmejorada, pálida, delgada y temblorosa. Me acerqué a su cama, le tomé las manos y sentí que apretaba las mías con fuerza. Me miró y me dijo:

—Usted tenía razón, doctor. No existen los fracasos

cuando no hay expectativas. Y esto es cierto en su trabajo y también en la vida.

Sonrió y siguió.

—No se enfade, doctor. Quería verle y decirle esto, pero estoy cansada y quiero dormir.

Me acerqué, la besé y me fui.

Hoy Sara ha muerto.
Hoy me entristece tu muerte, Sara.
Hoy me alegra haberte conocido.
Hoy te agradezco tu llamada de hace tres semanas.
Hoy, Sara, me despido de ti para siempre.

CARTA 49

Claudette:

Así es: la muerte conecta con la gran impotencia. Y quizás éste sea el gran temor a la muerte que está en (¿casi?) todos nosotros. El temor a la impotencia.

Vivimos en un mundo exitista. El triunfador, el ganador, el vencedor, el fuerte, el poderoso: éstos son nuestros modelos. Éstos son los héroes admirables que damos a nuestros hijos en cine, televisión, libros y revistas. Éste es el modelo de nosotros mismos que queremos dar a nuestros hijos: «papá puede», «papá sabe», «papá es bueno», «papá nunca se equivoca». En resumen: «papá es Superman».

Y así hemos crecido, con estos mensajes.

Y así hemos llegado a ser adultos. Perdón, rectifico: quería decir mayores.

Y así nunca hemos aprendido a aceptar lo que *no* podemos.

Y así vivimos: esquivando, negando y evitando sentirnos impotentes.

Hoy me encuentro con otro cuya actitud me desagrada. Hablo con él, pero no la modifica. Me siento impotente y no soporto mi impotencia. Entonces, le grito.

No es suficiente para que él cambie. Sigo sin soportar mi impotencia. Entonces, le insulto.

No me sirve. Él sigue con la suya. Y yo, con mi impotencia. Entonces le pego y, si me sigo sintiendo impotente, entonces lo mato. Y me sigo sintiendo impotente... Entonces... ¡Ah!, entonces me suicido.

Parece muy loco, ¿verdad? ¡Lo es!

¿Pero no es éste, acaso, el mecanismo por el cual algunos padres pegan a sus hijos?

Cuando en urgencias del hospital llegaban los niños con heridas, moretones y, a veces, serias lesiones producidas por alguno de sus padres, ¿qué era aquello?: ¿«Incentivos de aprendizaje»? ¿«Correctivos»?

Cuando, en una discusión callejera, uno de los individuos saca un arma y ataca a otro, ¿qué es eso?: ¿«Un exceso producto de la pasión»?

Cuando alguien renuncia a la vida y salta de una ventana, ¿qué es eso?: ¿«Un acto de protesta»?

¡Sostengo que no!

Sostengo que estas y *todas* las demás hostilidades que pululan en nuestro mundo son el resultado de la incapacidad de alguien o de algunos para soportar su no poder. Son la expresión de una absoluta negación de la realidad, una realidad que impone que no somos *omnipotentes*.

Te invito a que lo investigues tú misma.

La próxima vez que te encuentres en una actitud hostil (esto es, destructiva o cruel; hiriente o dañina), la próxima vez, mírate hacia dentro. Busca la impotencia implícita. Y, cuando la encuentres, cuando sepas qué es lo que no aceptas, qué es lo que no puedes modificar, intenta aceptar simplemente que quizás no puedes. Date cuenta de que, si puedes, quizás no sea en este momento o por este camino. Acepta tu impotencia.

Y, si lo haces, cuando vuelvas a tu realidad de este momento quizás compruebes con sorpresa que tu hostilidad ha desaparecido.

Lo más interesante es que, muchas veces, cuando yo recorro este camino y, de vuelta, renuncio a la actitud hostil, el otro, quienquiera que sea, suele hacer una apertura de su capacidad de escuchar. Aparece así una probabilidad adicional de interactuar que me estaba vedada cuando él empleaba todas sus energías en defenderse de mí y, entonces, no tenía espacio siquiera para replantearse su postura.

Atención: no confundas hostilidad con agresión.

¿Otra vez con las palabras? Sí, otra vez.

CARTA 50

Amada Claudia:

Agresión viene de *agressio* y significa «acometer», «embestir», «ir hacia»..

Hostilidad viene de *hostillòs*, que significa «enemigo», «adversario». Es verdad que la actitud hostil es una agresión, en cuanto representa un movimiento «hacia». Pero no toda agresión es hostil.

La hostilidad tiene como función específica herir, hacer daño, aniquilar al otro. En resumen, destruirlo.

La agresividad puede, sin embargo, ser constructiva. Agredir es desestructurar. Sigamos a Perls: «Cuando comemos cortamos los alimentos antes de llevarlos a la boca. Allí los reducimos a partes más pequeñas con los dientes y los trituramos con las muelas. La saliva contiene enzimas que comienzan un proceso de trituración que continuará luego en el estómago. Allí, un poderoso ácido (el clorhídrico) ataca los alimentos rompiendo su estructura mientras los movimientos de zarandeo ayudan a la acción de estos ácidos. ¿Qué pasaría si alguno de nosotros cancelara toda actitud agresiva, incluidos estos actos evidentemente agresivos: cortar, morder, triturar, corroer con ácidos, golpear, etcétera? Pues el resultado sería que eliminaríamos lo que ingerimos tal como hubiera entrado en nosotros. Nuestro aparato digestivo necesita desestructurar los alimentos para poder asimilar lo útil».

Y, lo más importante: si esto pasara, si canceláramos esta agresión hacia lo de fuera (el alimento), nuestro organismo buscaría la energía en nuestra propia sustancia.

Empezaríamos a agredir a nuestros propios tejidos en busca de esos nutrientes.

Bien. Esta agresión desestructuradora es parte de mis mecanismos «incorporadores». El metabolismo psíquico reproduce el metabolismo digestivo.

Es por esto que, a veces, cuando quiero mostrarte algo, quizás sea bueno que sea agresivo: amorosamente agresivo, bellamente agresivo, constructivamente agresivo.

Yo soy un terapeuta agresivo.

Quizás despiadado.

A veces, hasta cruel.

Lo soy cuando te empujo a encontrarte con lo que evitas.

Lo soy cuando te digo lo que más te duele.

Lo soy cuando desde un ejercicio psicodramático me permito insultarte y hasta abofetearte.

Lo soy cuando me acerco sin tener en cuenta la distancia «supuestamente útil» entre terapeuta y paciente.

Lo soy cuando me permito decirte: «Me aburro, me fastidia, no tengo ganas, no quiero o vete».

Lo soy cuando me permito decirte: «Me gusta, quédate, te amo».

Lo soy contigo.

Lo soy conmigo.

Lo soy.

CARTA 51

Claudia:

Hemos hablado de proyección y de introyección, y te dije que eran mecanismos de defensa, formas de pseudo relación con el exterior, maneras de evitar conectar con lo de dentro.

Hay un mecanismo más, descrito por Perls, que siempre me ha parecido interesantísimo: la «retroflexión» (en realidad, Fritz describió cinco: proyección, introyección, retroflexión, deflexión y confluencia).

Imaginemos que tú y yo discutimos. (No hace falta imaginar mucho, ¿no?) Imaginemos que, en medio de la discusión, te siento hostil, o que lo que me dices me conecta con el enfado. Mi cuerpo se tensa, una emoción tiende a salir de mí, trascendiendo hacia tu persona.

Esa emoción se quiere transformar en acción para salir.

Imaginemos ahora que esta conducta es una frase hiriente, que quiero herirte. Pero he aquí que yo siento, además, lo mucho que te quiero.

Si no me siento capaz de herirte porque te quiero, entonces fabrico una muralla entre tú y yo que te proteja de mí.

Mi conducta hiriente sale de mí, pero antes de llegar a ti choca con el muro que yo he construido y, ¡oh, sorpresa!, *el muro se transforma en un espejo* y esta actitud hostil se vuelve hacia mí.

Recibo de mí mismo la actitud destructiva que había generado ante tu conducta.

Esto es la retroflexión: me hago a mí mismo lo que quisiera hacer a los demás. Retroflexión es dañarme por no dañarte; acariciarme por no acariciarte; mirarme por no mirarte; matarme por no matarte.

Hay maneras evidentes de dirigir mi hostilidad hacia mí mismo y maneras sucias. Creo que las dos formas típicas de autoagresión hostil escondida que ejercemos contra nosotros mismos son la depresión y la culpa.

¿Cómo?

La culpa (identificación con la exigencia del otro), en realidad, carece de energía propia. La culpa es la retroflexión del resentimiento.

Si cada vez que me siento culpable ante alguien busco dentro de mí, encontraré el resentimiento que tengo escondido hacia esa persona.

Y, si consigo sacarlo de mí, si consigo resolver este resentimiento (como dice Perls: «La mordedura que no afloja»), si consigo deshacerme de la emoción guardada, mi sentimiento de culpa se acaba.

Podré seguir apenado o triste o dolorido, pero no me sentiré culpable.

En el consultorio, ya sea durante las sesiones individuales, grupales o en los laboratorios, gran parte de los ejercicios teatralizados tienden a permitir la evacuación de estos resentimientos. Tanto con los padres como con la pareja, estos resentimientos son verdaderas gestalts abiertas, situaciones inconclusas que impiden la emoción auténtica del aquí y ahora con el otro.

Dicho sea de paso, creo que este punto es el único (y no

por eso poco importante) avance real que hemos hecho en relación con la educación de nuestros hijos.

Creo que seguimos (y seguiremos) cometiendo errores con nuestros hijos que, de alguna manera, les perjudicarán. Sin embargo, a diferencia de nuestros padres o abuelos, siento que nuestra generación permite a los niños la rebeldía. Nosotros no forzamos a nuestros hijos a retroflexionar su enfado.

Y creo, además, que este permiso de rebeldía es lo que los salvará de nosotros.

Ningún padre puede evitar cometer errores cuando educa. Siempre digo antipáticamente que «la educación no es democrática». Educar es también frustrar. Cuando enseño a mi hijo a hacer pis en el inodoro, de forma inevitable le estoy privando de una sensación que, para él, es placentera.

Socializar se parece a veces a domesticar.

¿Qué quiere decir esto? ¿Condenamos a nuestros hijos a estar mañana sentados sobre un almohadón, delante de un terapeuta, insultándonos?

Es probable.

Si así fuera, para mí no sería tan grave.

De todas maneras, yo siento que, ya que no podemos evitar dañarlos, nuestra única responsabilidad (además de avalar su rebeldía) es compensarlos. Repito: nuestra única responsabilidad respecto de ese daño es compensarles.

¿Qué es compensarles?

Amarlos, dejarles que sepan de nuestro amor y, ¿por qué no?, «malcriarlos» de vez en cuando.

CARTA 52

Querida Claudia:

Yo creo que todo lo que he leído me ha servido.

Leer un libro es recorrer un camino. Hay caminos atractivos, caminos aburridos, caminos fáciles y caminos tortuosos. Hay caminos que conducen a lugares hermosos y caminos que no conducen a ninguna parte.

Leer un libro es penetrar en otro mundo. Hay mundos nuevos y diferentes, llenos de cosas originales y fascinantes que esperan ser descubiertas. Y también hay mundos repetidos y mediocres donde todo es igual, parejo y sin matices. Hay mundos para visitar una sola vez y otros donde siempre queremos volver.

Leer un libro es como conocer a otra persona. Hay personas que me atraen desde el primer momento, que ya desde el mínimo contacto me atrapan y cautivan. Hay personas que parecen insulsas y sin valores hasta que me adentro más en ellas y comienzo a disfrutarlas. Hay personas retorcidas, complicadas y elitistas. Hay personas cuyo solo contacto me enriquece y hay otras que pueden aportarme en verdad poca cosa. Felizmente, también hay personas tan trascendentes como para modificar mi vida.

Si yo tuviera que mencionar los libros que cambiaron mi vida, esa lista sería más o menos así:

La libertad primera y última, de J. Krishnamurti. (Sudamericana, Buenos Aires, 1983.)

El libro del Ello, de Georg Groddeck. (Taurus, Madrid, 1981.)

Palabras a mí mismo, de Hugh Prather. (Cuatro Vientos, Santiago de Chile, 1997.)

Dentro y fuera del cubo de basura, de Fritz Perls. (Cuatro Vientos, Santiago de Chile, 1975.)

El Principito, de Antoine de Saint-Exupéry. (Salamandra, Barcelona, 2001.)

No empujes el río porque fluye solo, de Barry Stevens. (Cuatro Vientos, Santiago de Chile, 1994.)

El viejo y el mar, de Ernest Hemingway. (Diversas ediciones.)

El enfoque gestáltico, de Fritz Perls. (Cuatro Vientos, Santiago de Chile, 1999.)

Un mundo feliz, de Aldous Huxley. (Diversas ediciones.)

¿Qué dice usted después de decir hola?, de Eric Berne. (Mondadori, Barcelona, 2000.)

Vivir, amar, aprender, de Leo Buscaglia. (Emecé, Buenos Aires, 2000.)

Demián, de Hermann Hesse. (Alianza, Madrid, 1997.)

El proceso de convertirse en persona, de Carl Rogers (Paidós Ibérica, Barcelona, 1997.)

El proceso creativo, de Joseph Zinker. (Paidós, Buenos Aires, 2000.)

Rebelión en la granja, de George Orwell. (Destino, Barcelona, 2003.)

Las enseñanzas de Don Juan, de Carlos Castaneda. (Fondo de Cultura Económica, 2000.)

Juegos en que participamos, de Eric Berne. (Diana, México D.F., 1997.)

Del tener al ser, de Erich Fromm. (Paidós, Buenos Aires, 1989.)

Voces reunidas, de Antonio Porchia. (Universidad Nacional Autónoma de México, México D.F., 1999.)

La casa redonda, de Adriana Henriquet Stalli. (Heroica, Buenos Aires, 1957.)

Sueños y existencia, de Fritz Perls. (Cuatro Vientos, Santiago de Chile, 1998.)

Todos somos uno, de W. Schultz.

Tao: los tres tesoros, de Bhagwan Rajneesh (Osho). (Sirio, Málaga, 2002.)

El piloto ciego y otros relatos, de Giovanni Papini. (Hyspamérica, Buenos Aires, 1985.)

Tengo por todos estos libros un amor inmenso. Los leo y releo, me deleito y relamo. Los recomiendo y los regalo permanentemente.

Tengo con estos libros un deseo muy especial: ¡me gustaría que los leyeras tú!

CARTA 53

Claudia:

Lo que pasa es que la problemática fundamental de la humanidad ha ido variando con el paso del tiempo. Por supuesto, gracias a que (mucho más allá de los individuos) las distintas corrientes psicológicas y filosóficas de la psicoterapia han influido sobre la sociedad.

Cuando Freud empezó a elaborar su teoría psicoanalítica en las primeras décadas del siglo XX, la problemática fundamental de la humanidad era la represión sexual. No es casual, por tanto, que el psicoanálisis focalice la génesis y el tratamiento de los trastornos psíquicos en el área sexual, y que haga pasar por allí lo sexual y lo no sexual. Freud llegó hasta tal punto que necesitó redefinir la sexualidad para incluir en el concepto de libido toda la energía psíquica relacionada o no con la genitalidad.

Durante la década siguiente (hasta los años cuarenta), esta problemática fue superada por la humanidad (sin lugar a dudas en gran medida gracias a la contribución freudiana) y apareció entonces un nuevo foco: los sentimientos de inferioridad y culpa. La psicología y la terapéutica se centró entonces en esta problemática y, con terapeutas de la talla de Otto Rank a la cabeza, trabajó sobre el tema.

Diez años le llevó a Rank resolver este problema. Apareció entonces uno nuevo: la competencia y la hostilidad (hablamos de plena posguerra mundial). De la mano de Karen Horney y otros, la humanidad se enfrentó con el tema y lo resolvió.

Entre los años 1955 y 1965 el punto conflictivo de la humanidad parecía centrarse en el sí mismo. El hombre descubre su vanidad. Al salir de su necesidad de poder y ante el evidente fracaso de la sociedad industrial, que le aseguraba la felicidad desde el «tener» (Erich Fromm), el ser humano se da cuenta de lo que no es. Descubre sus vacíos interiores y su problema se vuelve más concreto. La realidad ·de lo obvio se impone. Rogers, Fromm y otros se ocupan con maestría del tema.

Como era de esperar, el siguiente giro es el resultado de la resolución del anterior. Resuelto el conflicto de yo-conmigo y nuestro intento de enfrentamiento, descubrimos nuestra dificultad para convivir con el deseo y con el sentir.

Aquí aparece Fritz Perls, que habla de dos maneras de conectar con el mundo. Una intelectual, lógica, racional: el *pensar*. Y la otra, vivencial, sentida e intuitiva: el *darse cuenta*.

Al privilegiar esta última, la Gestalt quiere recuperar para el individuo la capacidad de «darse cuenta» sin computar de forma lógica su realidad.

El psicodrama de Moreno y el análisis transaccional de Eric Berne son manifestaciones diferentes de la misma intención

Llegamos así a la década de los ochenta. A mi criterio, la problemática básica de la humanidad vuelve a girar y, según mi opinión, se enfrenta a un desafío diferente: la comunicación.

Asegurar esto no significa que ya nadie padezca problemas sexuales, de inferioridad o de competencia. Sólo significa que, fundamentalmente, esta incomunicación (aislamiento, ritos, egolatría, superficialidad) es la base sobre la que debemos trabajar terapéuticamente.

Quizás algún nuevo genio deba nacer en estos años para ocuparse del tema, pero no olvidemos que, mientras tanto, contamos con los aportes de Pichón Rivière, Perls, Berne, Moreno y cientos de otros que nos han legado armas importantísimas para trabajar este asunto.

¿Qué es la comunicación?

Comunicación es entrar en contacto con el otro. Otro que, obviamente, por ser otro es diferente.

Dicho de otra manera: es imprescindible que seas diferente para que podamos encontrarnos y comunicarnos. Son nuestras diferencias las que nos permiten contactar, y no nuestras semejanzas.

¿Cómo?

Imaginemos que tú y yo somos idénticos.

Imaginemos que no hay ninguna diferencia entre tú y yo, y que no hay posibilidad de que la haya.

Si así fuera, ¿qué puedo decirte que no sepas ya? ¿Qué puedes aportarme que yo no haya visto? ¿Qué crecimiento puedes generar en mí? ¿Qué idea de vida diferente puedes acercarme desde nuestra identidad?

Lo que está sucediendo en esta fantasía es que tú y yo no somos dos: somos uno. Y, por ello, no hay comunicación entre los dos.

Esto me lleva al tema de los límites.

Cierro los ojos y te imagino con el brazo tendido hacia mí, con la palma abierta y los dedos extendidos. Apoyo mi palma sobre la tuya... Bien, hay un límite entre tu mano y la mía que está determinado por las capas superficiales de nuestra piel.

Te pregunto: ese límite, ¿nos une o nos separa?

Parece claro que nos separa. Sin embargo, estamos más cerca en esta posición que si tú estuvieras en la otra habitación.

Planteándolo de otra manera: las fronteras, ¿nos unen o nos separan de los países vecinos?

Ahora surge la claridad de la paradójica respuesta: los límites nos unen y nos separan.

Recuerdo ahora mi sorpresa cuando descubrí que, en castellano, una misma palabra, la palabra «cerca», define «proximidad» y, también, un elemento de «separación», de «diferenciación».

Pues bien. Cuando soy capaz de poner claros límites en mi relación con el otro, cuando mi intención no es mimetizarme contigo sino acercarme desde nuestras diferencias, cuando no tengo intención de invadirte y, mucho menos, de que me invadas, cuando sé hasta dónde llegar, entonces, y sólo entonces, creo estar en condiciones de comunicarme contigo.

CARTA 54

Amorosa:

Hoy recordaba que han pasado tres años desde que te mandé aquella primera carta en la que te hablaba de mi bisabuelo.

¡Cuántas cosas han pasado en tu vida, en la mía, en nuestra vida!

Desde mí, me veo creciendo. Me doy cuenta de los cientos de cosas que he aprendido, los miles de cosas que he reaprendido (porque las había olvidado) y, sobre todo, los millones de cosas que he desaprendido (porque las había aprendido mal).

¿Sabes? Eso es crecer: aprender, reaprender y desaprender.

Hace algunos meses, leyendo a Vitus B. Dröscher, el biólogo, me encontré con una exposición que me aclaró un montón de cosas. Explica Dröscher que todos los seres vivos crecen desde su nacimiento a un ritmo vertiginoso; luego ese ritmo se ralentiza, hasta que el crecimiento se detiene. Lo novedoso para mí fue enterarme de que estaba claro para la ciencia de hoy que, en el mismo instante en que se deja de crecer, en ese mismo momento se comienza a envejecer, muy lentamente primero y vertiginosamente hacia el final de la vida natural, hasta la muerte.

¡En el mismo instante!

Esto significa que la famosa madurez o plenitud de la vida no existe en el tiempo.

Significa que todos los seres vivos estamos creciendo o envejeciendo. ¡Y este último proceso es irreversible!

El ser humano termina con su crecimiento entre los veinticinco y los veintiocho años y, en adelante, ¡envejece!

¡Qué viejo estoy! Llevo ya por lo menos ocho años envejeciendo. Lo maravilloso de haber leído esto fue darme cuenta de que, si esto sucede en el aspecto físico-orgánico, no es menos cierto que en el aspecto psíquico, mental o espiritual pasa exactamente lo mismo. Cuando dejamos de crecer, empezamos a envejecer.

Por fortuna, hay una diferencia.

En el área espiritual, el proceso es reversible o, por lo menos, detenible.

Un viejo chiste dice: «Cuando esté en un callejón sin salida, salga por donde entró».

Entramos en nuestro envejecimiento espiritual dejando de crecer, dejando de aprender, reaprender y desaprender, dejando de vibrar con las cosas nuevas, dejando de arriesgar.

Pues bien: estamos envejeciendo. ¡Pero la fuente de la juventud está en nuestras manos!

No hay envejecimiento durante el crecimiento.

Por lo tanto, si seguimos creciendo, si a lo largo de nuestra vida no dejamos de crecer, ¡entonces nuestro espíritu no envejecerá jamás!

CARTA 55

Estoy sentado escribiendo frente a la ventana.

Llueve. Veo caer el agua, jugar y salpicar... Cierro los ojos.

Me gustaría ser agua...

* * *

Soy el agua de la lluvia. Caigo sobre los sembrados. Las plantas, a las que calmo la sed, me aman. Me ama la tierra a la cual mantengo viva y fértil. Me aman los hombres que viven en esa tierra y de esa tierra. Me odian los veraneantes de la playa, me odian los animales desamparados que vagan por las calles...

Soy el agua en un estanque. Aquí estoy, esperando ser utilizada. Sirvo para refrescar a los campesinos y para bañar a los animales. No soy apta para ser bebida porque estoy sucia y contaminada. Demasiado tiempo quieta.

Soy el agua de las lágrimas de un niño.

Soy la expresión más auténtica de la emoción, soy el reclamo de los únicos afectos incondicionales. Soy el símbolo de la alegría y de la pena.

Soy el agua de un río caudaloso.

Soy el hogar de miles de peces, soy el movimiento de la naturaleza, soy el ruido del bosque y de la pradera. Soy el dulce que será sal mañana, cuando llegue al mar.

Soy el agua de una fuente cristalina, soy la bañera de un montón de pajaritos, soy el trago que calma la sed del caminante, soy la transparencia de la claridad del día. Soy el símbolo más claro del fluir de la vida.

A veces soy vapor y a veces, hielo.

Y, en todas estas formas de ser, soy útil, soy inútil y hasta a veces soy dañina.

Porque nunca trato de ser lo que no soy.

Porque admito ser la parte y no el todo.

Porque soy muchas cosas y una sola.

Porque no soy más de lo que soy.

Pero tampoco menos.

Epílogo

Sé que podría seguir escribiéndote el resto de mi vida...
Sé que siempre encontraría algo para decirte...
    Algo para contarte...
    Algo para compartir contigo...
Sé que si volviera a escribir sobre algunas cosas que te dije, escribiría todo lo contrario...
Sé que sigo creciendo y que podría seguir participándote de mi crecimiento...
Y quizás lo haga...
Pero hoy...
Hoy tengo ganas de despedirme de ti.
De esta tú.
No de toda tú.
De esta tú que lees mis cartas.
Y, como de costumbre...
Siento que mis despedidas son definitivas.
Siento que mis despedidas son *siempre* para siempre.
¡Vivan las redundancias!
Este libro es redondo.
Termina tal como comenzó hace tres años.
Con la oración gestáltica de Fritz Perls.
Siento que es la gran llave de las relaciones entre las personas.

Creo que si pudiéramos enseñar esta oración a todos los seres humanos sobre la tierra y consiguiéramos que la recitaran con la convicción total que sólo puede dar la identificación con lo que se dice, si yo pudiera actuar de acuerdo con estas pocas palabras, entonces...

Mis problemas
mis preocupaciones
mis ansiedades
mis decepciones
mis miedos
mis desamores
mis peleas
mis peores facetas para con los otros
DESAPARECERÍAN.

La oración gestáltica de Fritz, según yo mismo, dice:

Yo soy yo.
Tú eres tú.
Yo no estoy en este mundo
para llenar todas tus expectativas
y sé
que tú no estás en este mundo
para llenar todas las mías.
Porque yo soy yo
y tú eres tú.
Y, cuando tú y yo nos encontramos
es hermoso.
Y cuando, encontrándonos, no nos encontramos
no hay nada que hacer.

¡Gracias!
Gracias y adiós...

Los lectores interesados encontrarán información sobre los cursos y charlas de Jorge Bucay en:

www.bucay.com

También pueden contactar con el autor a través del correo electrónico:

jorgebucay@rba.es